文經社

文經社

文經社

文經社

文經文庫 186

繫滿黃絲帶的老橡樹

黃明鎮 著

文經社
Taiwan

COSMAX
PUBLISHING Co.
Since 1981

文經社徽記

播種者
含淚播種的
必歡呼收割

《前言》繫條黃絲帶在老橡樹上

美國的喬治亞州，有位因倒閉破產而被判刑三年的男子，在出獄前夕寫了一封信給妻子，問她是否還願意接納他？如果「是」，就請在他出獄回家那天，在家門前那棵老橡樹上繫一條黃絲帶，如果沒看到黃絲帶，他就會識趣的搭著巴士離開。

在返家的公車上，他的心情很緊張，既期待又怕受傷害，快到家門時，他甚至不敢睜開眼睛，只好懇求公車司機幫他打探結果。

終於，謎底揭曉了，只聽見公車司機和車上所有的乘客同聲為他歡呼，他睜開雙眼，竟然看到老橡樹上，有著數以百計的黃絲帶在風中飛舞。

這個故事在七〇年代譜成民歌，風行一時，後來在美國甚至成為一種風俗：在家門前的樹上繫上黃絲帶，表示歡迎久別歸來的親人。

我在美國留學時聽到這首歌，只曉得這首歌讓許多親友重修和睦，許多婚姻破鏡重圓，卻不知神會安排我十七年後重回台灣，擔負「更生團契」這繫黃絲帶的重責大任。

監獄裡的受刑人，最傷心的事並非被人「修理」，而是被人拒絕。特別是已婚男人，很多以前不知珍惜婚姻，菸酒賭毒，無所不來；甚至對家人施暴。一旦入獄，結局當然常是妻離子散、家破人亡。

曾失敗或遭受挫折的人，期待被人接納的慾望非常強烈，幾乎就像歌詞中那位主角那樣期待施捨。他們有的自小被家人排拒，被人貼上標籤，身邊又缺乏楷模效法，若再次失敗之後，內心傷痛自責，對未來失去盼望，對生命沒有把握。「徬徨無助、沒有方向」是他們的寫照。

這十幾年來我和曾受挫折失敗的人時有接觸，無數次的探望，無數次的握手，期盼手上友誼的暖流能傳遞生命的信息。就這樣，手一直握，腳一直走，只顧燃燒自己，將一盞微燈發光，照亮前方，把他們的腳從黑暗的角落裡，引到平安的路上。

「繫條黃絲帶在老橡樹上」這首歌，點出了我這本書想要表達的心聲。在愛心淡化的社會裡，盼望有更多人能在老橡樹上，繫一條展現包容與笑靨的黃絲帶，迎接每一位需要被鼓舞、被愛的人。

～繫條黃絲帶在老橡樹上～

我的刑期已滿，正要回家
如今我得知道那些東西還屬於我
若妳收到了我的信
告訴妳我將重獲自由
那麼，妳知道該怎麼做
如果妳還要我的話

在老橡樹上繫條黃絲帶
漫長的三年過去了
妳還要我嗎
如果我看見老橡樹上沒有黃絲帶
我會留在巴士上，忘了我倆的過去
責怪我自己
如果我看見老橡樹上沒有黃絲帶

司機，請幫我看一下
因為我無法忍受即將看到的
我其實仍在牢中
只有吾愛握有鑰匙
我需要的僅是黃絲帶，即可將我釋放
我已寫信告訴過她

現在整車的乘客都在歡呼
我無法相信我所看到的
老橡樹上掛滿了上百條的黃絲帶

目次 Contents

PART 3 祝福滿滿的生活

PART 4 愛是永不止息

附錄

Part 1
高牆後的春天

～我赤身露體，你們給我穿；
我病了、你們看顧我；
我在監裡，你們來看我。

【馬太福音】二十五•36

你什麼時候再回來?

同行也佩服

監獄裡的牧師，永遠默默做著教化的工作。世界各地的監獄裡，也都有像我一樣的人，做著教化的工作。有一些我常見面，彼此很熟，他們與人犯間的互動，聽起來令人動容，連同行的我也為之肅然起敬。

被潑尿換來的幫手

鍾斯是美國東部一座重刑監的駐監牧師，負責全監的宗教教化。在獄中因他的教誨而悔改的人犯，常成了他的助手，幫他處理文書、安排聚會等，表現都極良好。他自己常用手推車送書到舍房，鼓勵人犯讀書，順便教化。

當然，信仰自由，牧師並不是人人都歡迎。有一回他照常推著車，在舍房走廊外一步一步前進，一個人犯叫住他；正當他伸手進入鐵欄杆內要與人犯握手時，突然間牧師的臉上被潑了一小盆茶色的液體，原來是人犯不喜歡他，故意給他難堪，用尿羞辱。

鍾斯牧師沒有動怒，只輕輕地對他說了一句：「耶穌愛你。」隨即轉身，把車推走，去洗臉換衣服。

獄中的人犯心情鬱卒時，把情緒發洩在別人身上很平常，鍾斯懂得體諒，並沒有向人告狀，只把它當作上帝要他學習「愛仇敵」、「以愛勝恨」的功課。

事後鍾斯還是常去探望他，後來那人受了感動，也真心悔改，不多久成了鍾斯另一位在監獄教堂的好幫手。

年紀最小的義工

加拿大的比利，三十出頭時就在監獄裡擔任牧師，因工作盡心盡力，被政府委派為全國的巡迴監牧。幾年下來，他感到人犯最大的危機是失去盼望，因為人一關久，家人及社會對他們失望，連他們對自己也常感到絕望。

按照監獄的規矩，想入獄做義工，至少要十八歲。那一年，比利剛生一個女兒，名叫蘇菲亞，長得清秀可愛。才滿月不久，徵得典獄長的同意，比利就帶著小蘇菲亞去探監。

那天在監獄的教堂內，一群五年、十年都未見過小嬰兒的人犯，個個笑眯眯地要爭相搶抱，每一個人似乎從蘇菲亞的身上看到了「新希望」。為了擁有這個希望，人犯決定，要全體收蘇菲亞做乾女兒。

如今蘇菲亞已是長得亭亭玉立，當年那群人犯，出獄的再犯率很低，幾個仍留在監的，品性也都有進步。偶爾他們打電話給比利時，都會順便問一聲：「我──們──的蘇菲亞近況如何？」

你該為我高興才對

新加坡的樟宜監獄有個丘牧師，他父親以前在樟宜做了三十一年監牧，退休後才由他接任。現在這位第二代丘牧師已經任職三十三年，還未退休，他兒子三十幾歲，克紹箕裘，做了第三代的監牧，只不過他走國際路線，常跑各國的監獄。

年已古稀的二代丘牧師，以愛撫慰死囚，悲天憫人的胸懷常感動人犯痛哭悔罪。有一次，表現優異的一個年輕死囚官司定讞，丘牧師與他相處兩年，為他只因販毒要斷送前途深感惋惜。在執刑前的幾天，牧師陪伴他，談話中，牧師想到白髮人要送黑髮人，不禁神傷，頻頻拭淚。

「嘿，牧師！你怎麼啦？你……你好『丟臉』！你不是說向神認罪悔改後的天家好得無比嗎？你應該為我高興才對嘛！」

牧師頓時心中有所頓悟，但沒想到一個面臨處決的死囚，不但無懼死亡，還有能力安慰別人。於是擦去淚水，歡歡喜喜地陪著他，跟在戒護人員後面，步向絞刑場。

陪他們一夜

我以前讀犯罪學，但未有過坐牢的經驗，從由美國回台灣的「更生團契」服務時，深恐「經驗」不足，對人犯的輔導只是隔靴搔癢，於是請求一位典獄長特准我與少年犯同住一天一夜。

那一天在獄中，一百多位在做手工的「同學」（獄中人稱），看到我與他們在一起做工都很驚訝。幾個小時後，跟我熟了，每個人都很開心地與我聊天。

快到下午五點收封的時間，有個孩子問我：「叔叔，我們五房還有一個空位，你晚上要不要來跟我們睡？」

我說：「看看。」

他們進舍房後，我到戒護科，並告訴科長說已經有人邀請。於是科長送我到五房，當房門一開，孩子們看見是我，個個喜形於色。

七個孩子當中，最小的只有十三歲，有的是獨子被寵壞，有的是家庭人口過盛，督導不周。那夜我跟他們談信仰，談我改變的故事，並勸他們交友要小心，才不會再進來。

臨睡前，戒護科長來查房，看我是否平安？他進門，剎那間我有一陣喜悅，就像孩子們看到我時一樣的心情。可見探監對人犯是有正面的影響力，難怪聖經鼓勵人探監說：「我在監裡，你們來看我。」

第二天起床後，唱軍歌，也上點課，二十四小時一到，我走了。幾天後，收到七個孩子一起寫來的信，信中除了感謝我陪他們過一夜，末尾還附註：

「叔叔，你什麼時候再回來？」

鐵窗外的春天

這裡才是你的家

也許是對信仰的執著，我始終相信，只要持續教化，犯錯的人會真心悔改，必能盼到生命的春天。

一位剛得知假釋獲准的煙毒犯，興沖沖地對獄友說：「我要回家囉！」那知此話被一位對煙毒文化瞭如指掌的工場主管聽見，於是挖苦他幾句：「你什麼要回家？你是要出去『玩』，這裡，才是你的家！」

果然被他料中，那人出去以後，沒多久又回籠了。

再犯率算是最高的煙毒犯，只要進出監獄幾趟，不但自己對戒毒沒有信心，連監獄的管教人員對他們也不存什麼希望。眼睜睜看著他們「早去早回」，真是既可悲又可憐。

死，才會改嗎？

好幾年前，我去龜山的台北監獄時，在桃園搭計程車，一上車，司機劈頭就問：

「你要去監獄做什麼？」

「教化！」我說。他語帶譏諷地回我：「我看你不必去了！我帶你去看場戲後，你再回台北說已經去過了……他們不會改的，死，才會改啦！」

社會上的人不了解，難免對犯錯的人厭惡、唾棄，但我仍以為，一百個人當中只有一個聽進去，願意真心悔改，我就是一趟花半天時間也是值得。

話雖這麼說，確實也有惡習難改，長年硬著頸項的人，有時我問他們：「想不想戒毒？」

「不想！」

「為什麼？」

「沒有為什麼。」

死硬派的人在獄中占有兩三成，難怪有位典獄長曾對我這麼說：「我們這裡有四千人，其中三千人，你們可以多努力，另外一千，我看，就免了。」

從教化的角度來看，每個人其實都應該給他們機會，但從實務得知，有些人，從小因得不到愛的教育，早就養成反社會性格，積弊已深；我們少數人，想在短時間內扭轉他們數十年來的習惡，困難重重。

現在獄中人多，教誨師人少，一個教誨師要負責三百人的教化，一個星期連五分鐘都不可能，那有辦法關他幾年後，人就變好的。

流淚撒種必歡呼收割

因為對神有信心，所以我也一直堅信，只要繼續努力，而他們又真心悔改，假以時日，一定會看到某些人洗心革面、脫胎換骨的。

像「更生團契」目前就有數十個以前是人見人厭的人犯，只因有了信仰，真心悔悟，如今生命煥然一新，有的與另一半破鏡重圓，有的重修親子關係，有的成了我們探監的好夥伴。

法務部在馬英九部長時代，曾派遣數位矯正司官員到國外「取經」，看看有什麼妙方可以叫煙毒犯戒毒。後來發現「福音戒毒」有功效，於是時任典獄長的黃徵男司長，就在台南的明德外役監內，設立了兩所戒毒村：第一村是基督村，第二村是佛教村；兩村相隔兩三百公尺，遙遙相望，各唱各的調，各念各的經。

我曾在第一村住過三個月，協助每天五個小時的心靈重建課程。在那裡的煙毒犯，經過一年左右夜以繼日的薰陶調教，出獄後，目前再犯率低於百分之二十。在獄中多下工夫教化，久而久之，還是會看到「流淚撒種，歡呼收割」的。

徹底悔改的才是贏家

有一次我又回戒毒村幫忙，看到佛教村與基督村的人在一起勞動，閒談之間，得知兩村的人最近要拔河比賽。

比賽結果，雖然基督村的人贏了，不過在獄中，輸贏並不是那麼重要，能檢討自己，痛定思痛，出獄後不但不再犯，還能回饋社會，才是真正的贏家。

這幾年，我常帶出獄後表現良好的更生人到美國參觀監獄，順便也到華人教會去唱詩作見證。他們脫離罪惡的捆綁，生命改變的經歷，激勵了很多人。

有一回在加州，一位開餐館的教會長者，聽說我們要去，準備招待我們晚餐時，特別叮嚀廚子：「一定要煮多一點，因為他們都是從監獄出來的。」

言下之意，好像台灣的人犯吃不飽一樣。他那知台灣獄政進步，受刑人餐餐三菜一湯，吃得比我好，只因為運動少，營養過剩，有的還要開班給他們減肥呢！

模範囚犯

黑暗中的曙光

別以為獄中囚犯都是兇神惡煞，其實他們也有人性善良的一面，有些人的表現堪稱為模範。他們的故事，有感人也有令人敬佩的地方。

有一年，利用暑假到加州探親，順道去監獄探一囚犯。他從台灣移民美國，太太紅杏出牆，他殺了太太的男友後，被判十五年至無期徒刑。如果表現好，七年半可以出獄；表現差，則重獲自由「遙遙無期」。

他是讀書人，擁有碩士學位，英文程度好，在獄中教美國人數學及英文。其實，一般老美數學不好，失學的黑人英文也爛。只是，他教書薪資微薄，一個月拿不到十美元，倒是因為這番傻勁，獲得長官好評，榮膺獄中少數的「模範囚犯」（Model Inmate）。

談模範，我在全台各監所從事教化工作所接觸的人犯中，好多位都堪稱為模範，只是我們國內沒這「頭銜」罷了。

獄中龍蛇雜處，環境複雜，求好是他們的生存法則；成績好，有加分，對假釋有利。獄中人盡力想做好，是人性善良一面的發揮，是黑暗中的一道曙光，圍牆外的社會恐怕難以體會。

真正的大哥

多年前，道上兄弟劉煥榮還在台北看守所時，他也應當算是個模範。他當模範，並非「名氣大」，而是「作用大」。情緒不穩的囚犯，經他三言兩語一勸，就平靜下來；一些不肖子，常怪父母來面會不帶錢，被劉大哥說幾句，收斂多多。

曾有人安排一精神病患服侍他，過不久，他反替那病患洗臉、擦身。他教人犯學畫、練字，鼓勵人犯寫信回家報平安。臨槍決前，他那句「黑道無英雄」的警語，震碎黑道大哥逞血氣之勇的美夢。

劉煥榮的坦誠認罪，關懷人犯，使不少人對他生出憐憫之心。政府雖槍下不能留人，他卻給人留下一些美善的回憶。

兄弟變弟兄

南部一所監獄裡，有個用拐杖走路的囚犯，自小患小兒麻痺，混幫派，個性偏激，兩度因盜劫坐牢。在獄中，天天打架，被隔離、送違規房都不怕。

有一回，從台北來了幾位以前是道上「兄弟」，現在是教會「弟兄」，來現身說法，唱詩、做見證。他想去聽，教誨師說：「我教化你三年，你一點都沒變，聽一次有用嗎？」

結果，那一場聚會裡的一兩句話——「我是兄弟變弟兄」、「我能，你也能」，深深震撼了他的心靈，扭轉了他整個人生觀。

此後，他開始與義工通信，寫函授課程，接受別人規勸，也主動幫教誨師做事。三年後出獄時，他一反獄中禁忌，對送別人道「再見」，拋下一句：「我必再回來！」

潛修兩年後，他兌現諾言，雙手抓著拐杖，吉他掛在一邊，每週兩次走進監獄，用耐心和自己改變的實例去輔導兄弟。

翻譯拾信心

另一名人犯曾是職業軍官，退役後投入營造業，應酬之中不慎染上毒品，判刑發監執行時，萬念俱灰。教誨師知道他英文底子不錯，交給他一本美國人犯的見證，請他譯成中文。

他接受託付後，不再成天乾望天花板或談些無謂的過去，從此「狠狠地」讀、翻譯、寫，連午休時間別人看電視，他還埋首苦幹。終於在短短五個月內完成三萬字的譯作「大盜之悔」。囚犯中多的是高手，但看他們是否願意付出努力的代價。

強盜變傳道

一名眷村長大的囚犯，曾是公務人員，白天上班，晚上開賭場、收賭債。因槍械案坐牢，由於平日無拘無束慣了，瞬間成了要睡在廁所旁的「菜鳥」，心中覺得很不是味道。

某夜，想起當年兄弟捧場，在五星級飯店住總統套房的揮霍情景，不禁悲從中來。夜半的飲泣聲驚動了查房的主管；詳問後，他表示是在「向神懺悔」。後來他真的悔改了。

他律己甚嚴，省吃儉用，並協助戒護人員，擔任自治員工作，對穩定囚情，大有幫助。出獄後，他讀了四年神學，獲得學位，並再度踏入監獄，成為國內第一位人犯出身的「監牧」。

死囚一笑救一命

還有個因連續竊盜、搶劫被判死刑的囚犯，父母覺羞恥，朋友離他而去，唯一常來探監的哥哥，不知何故舉槍自殺身亡；在重重打擊下，他覺得人生乏味，無心上訴。經輔導人員多月的開導、關心，他重燃生命的火花，臉上開始有了笑容。

當再度被判死刑時，他極為坦然，自知罪有應得。上訴最高法院時，他供出另一件從未供出的搶案，因為他擔心拖累別人，不想讓別人替他擔罪。後來，法官衡量他犯罪後的態度，認定他的良心未泯，實話實說，未曾掩過飾非，改判他無期徒刑。

現在，他堅強地活著，正在獄中的高中補校就讀，盼望考上大學，回饋社會。

社會上有「模範警察」、「模範教師」，不一而足；獄中人有些是「浪子回頭金不換」，選幾個當模範，應有正面的社會教化與啟示作用，您以為如何？

另類的「鄉村俱樂部」

專程去「看」女監

很多人去澳洲是去移民，或去看風景、旅遊，我們則專程去「看」女子監獄，再去看風景。

澳洲人純樸、保守，全國人犯僅有一萬七千名，相對於台灣的五萬多名受刑人，他們的犯罪率還不到我們的一半。墨爾本市郊的民營女子監獄是澳洲八十多個大小公、民營監獄中最新的一座。數十幢紅瓦石磚砌成的洋房，座落在群群綿羊埋首覓食的綠油油草原上，像座別緻的「渡假中心」或「鄉村俱樂部」。

我們的考察團一行十人，有典獄長、企業家，也有牧師，在這新監剛成立兩個月後就翩然駕到，是監獄頭一隊從國外來的「觀光客」。出發前，我們就對「民營監獄」存有十足的好奇，迫不及待想一窺究竟。

鐵絲網取代圍牆

女子新監沒有高聳的崗哨，也沒有厚厚的圍牆。美、澳新監大都以高過人頭的三層鐵絲網當圍牆，一方面為美觀，再方面省錢，在戒護上更是佔盡上風；未打卡上班，警衛在走近監獄大門時，圍牆內的動靜已在掌握之中。不但如此，在二、三層鐵絲網內巡邏的警衛，也能同時監視獄外四周圍的活動，以防劫囚或越獄。

國內時下的老監，警衛日夜要在圍牆內外巡視，費時費事。現代化的紅外線及滿佈四圍的電眼，已替澳洲政府省下蓋崗哨、建圍牆及派警衛全天候站崗的不小開銷。

另外澳洲監獄當局規定，探監不准攜帶物品，因此獄中違禁品較少，但是煙毒犯還是有本事在獄中吸毒，問題出在獄方准許人犯可以與親友面對面碰觸接見，腦筋動得快的「損友」，在大門檢查的儀器只能測出金屬的情況下，身上藏一兩包「白粉」（海洛因），於擁抱接吻時，偷偷地塞給人犯，輕而易舉。

所以歐美有些監獄，在檢查站備有警犬伺候，憑藉牠們靈敏的嗅覺，毒品難以遁形。當然也有不肖職員挾帶毒品入獄販售圖利，但因刑責頗重，敢做的不多。

女囚住洋房

澳洲的五座民營監獄，一部分由政府蓋妥後再交民營，其餘則由美國在澳洲的CCA分公司設計、建造。總公司在美國蓋有四十多座民營監獄，這座女監全由他們一手承包，其設備如一般中學，有室內運動場、游泳池、習藝教室等，頗為齊全。

目前獄中只收容一百多位女囚，因女性犯罪率較低，澳洲人又尊重女性，非不得已不叫女人坐牢，一則減輕負擔，再者，讓婦女做社區服務或看管孩子，也有安定社會的作用。

女囚經法院判決確定移送女監後，按「輕、中、重」不同的罪刑，分配到不同的獨立洋房居住。輕刑犯五人住一幢，每人擁有一間三坪大的臥房（國內一人不到〇．四坪），客廳有沙發，廚房有餐具，應有俱有。每天的糧食及新鮮蔬菜會由監獄大炊場送來，女囚按著喜愛的口味自行烹調，想吃別的，也可每週兩次自獄中福利社採購。

中刑犯的洋房十人住一幢，除人數加倍外，設備、管理與輕刑犯一樣，也都沒有警衛。洋房大門夜間會上鎖，寢室的小門則晝夜開放。

重刑犯及違規房的宿舍就截然不同，雖然仍是獨幢洋房，但後院的活動區有鐵絲網圍住，活動空間受限，也不能擁有自己的小廚房，吃的全是「大鍋菜」；客廳裡的一角是警衛室，女警二十四小時輪班看管。

當我們參觀重刑舍時，恰有一女囚在「發飆」，她手執木棍，隔著玻璃窗胡亂敲打，又對著我們大聲吼叫，值班女警見狀，隨即呼叫支援，不久就看到四、五位男女警衛走過來，大概會先勸導一番，若有嚴重違規，必須遣返公營監獄，因獄方與政府簽約，按人頭補助，不知悔改的人犯會送走，以避免逃掉或死掉時，監方要賠政府很多錢，那就得不償失。

人性化管理

澳洲的監獄過去所採取的高壓政策已不見效，政府鑒於監獄造價昂貴，教化果效不彰，負擔職員及人犯的費用又是一筆龐大開支，既然美國辦民營監獄，成效顯著，他們也樂意跟進。

千萬別以為讓囚犯住「洋房」太便宜了她（他）們，據全場陪我們參觀的女副典獄長稱，人性化的管理，自一九九〇年澳洲第一座民營監獄在布里斯本開辦以來，人犯臉上開始綻放笑容，再犯率驟降，承包外界的生意——如洗床單、加工配件等也都很賺錢。

重。

她指出，「剝奪自由」對人犯已是一大懲罰，再惡待她們等於雪上加霜，徒增仇恨而已。但獄方也不是沒有原則，只是在落實「鐵的紀律、愛的教育」之口號。因為人犯除了給他們再教育、心靈的淨化及習得一技之長外，他們也是「人」，需要被尊重。

就像國內的「天下第一村」——台南明德戒治分監（又稱國家戒毒村）一樣，她們的早晚點名，一律不以人犯的編號喊叫，乃直呼其名。尊重別人，能縮短人與人之間的距離，並增進彼此間的良好互動關係。難怪所看到的女囚，活潑有禮，會對著我們打招呼，駐監牧師解釋說，起初來的時候都是憤憤不平，態度之所以會好轉，原因是大部份的人已接受了「有愛的信仰」重生得救的緣故。

女監考察兩個小時後，揮手道「再見」（監所之忌諱）時，男典獄長知道台灣的監獄擁擠，建議我們也辦民營監獄。只是——不知道我們的政府肯不肯？敢不敢大膽「開放」一間來試試？

大哥背後的女人

裁縫、校長、警衛、牧師

她是一個裁縫，她是一個校長，她是一個警衛，她是一個牧師。

她們為感化人犯無私無我地付出……

「大哥背後的女人」，一向是人們好奇的角色，我因在獄中從事教化工作之便，認識了幾位，寫出來請大家為她們喝采。

不良於行的裁縫師

她，三十多歲，是裁縫師，從小患小兒痲痺，雙腿不用拐杖不能走動。小時因病輟學，工作之餘，還把國小、國中課程讀完，今夏，就要從高中補校畢業。

十多年來，她一直關心獄中人，寫過數千封信勸化獄中的哥兒們；自己不良於行，還親自搭火車、汽車跑去探監。有些囚犯看她走路的模樣，忍不住哭了，有些則因她無私的愛大受感動。

經過她通信輔導的大哥，大多改邪歸正（當然也有借錢不還的）。其中有一位黑幫大哥，從小吸毒，與她書信來往三四年，出獄後，不但不再吸毒，還效法她的腳蹤，進入高中補校就讀，希望來日能代替她到監獄去教化受刑人。

退休校長與死囚

她，小學校長退休後，以年近古稀之齡投入公益活動，常與「更生團契」義工到住家附近的看守所探視人犯。

有一死刑犯，過去愛賭博，經商失敗後，涉及擄人勒贖謀殺。一審被判死刑時，他鬧房、拒見，看守所拿他沒辦法。有一次她來教誨時，這死刑犯竟然哭在老媽媽的懷裡，像個受過不少委屈的小孩，飲泣不止。

兩年後，三審定讞要槍斃時，他被她的愛感動，除了將妻、子交由她照顧外，也把身上的器官全部捐獻出去，受惠者達四十餘人。而他也成為國內首次槍決時從心臟改打頭部的第一人。

最近，這位年逾八十、愛人不求回報的好媽媽，已打完人生美好的仗，在睡夢中無病無災地蒙主寵召了。很多人都懷念她，希望有一天也能像她那麼好心有好報——走得平靜安詳。

以柔克剛的女警衛

她，是美國人，指揮若定，柔道三段，荷槍實彈，穿梭在我們參觀的美國加州男監囚舍內外。

穿上胸前繡有階級的制服，她挺著胸膛，看來比男人還架式十足，雄赳赳、氣昂昂。談起當年她擔任哥兒們的警衛時，可真經過幾番折騰——男性警衛集體反彈，深怕萬一遭人犯強暴，引起暴動，會與她一起受害。

但「男管男」制度行之多年，教化效果極差，只換來「以暴制暴更兇暴」的苦果而已。如今，女警衛以柔克剛，那股堅韌的耐性正是男人需要的。而女管男，男囚較馴服，教化也比較看得見具體成效。

至於監獄大量起用女警衛，男人所擔心的強暴案，二十年來，只發生過一次。

身許黑道大哥的牧師

她，是位牧師，學問大，塊頭也大，曾單槍匹馬赴遠方，在蠻荒之地宣教，跋山涉水，吃苦耐勞。

有一次，我們介紹一位甫出獄的更生人請她輔導，她一口答應，明知他從小混幫派，前科累累，她還是接納了。她表示：「愛裡沒有懼怕。」

她為他解惑。餓了，給他吃；病了，帶他去醫院。九個月後，她突然宣布要跟小她近二十歲的他結婚，大家目瞪口呆，親人更是反對，她卻很篤定。

婚後，蜜月期還好，過不久，這位「大哥」露出狐狸尾巴，不但菸酒都來，還藉故夜遊不歸，大家都為她捏把冷汗，但她卻又信心滿滿地說：「愛是恆久忍耐、永不止息……真愛等待，我等他悔改。」

快兩年了，她說，他「為她」已經戒掉菸酒，剛硬的心也漸融化。依我看，日後如何變化不得而知，唯一確定的是，她得付出更多的愛，才能使頑石完全點頭。

前一陣子，政府大力掃黑，掃進不少大哥入獄。看來要感化他們，真的還須有付出愛心的女人，願意做大哥背後的無名英雄。

孫叔叔「入獄」記

受寵若驚的「運將」

孫越叔叔是大家都很喜愛的藝人，為什麼他可以獲得大家的認同？

聖經上耶穌說：「我在監裡，你們來看我……」自孫越叔叔成了「更生團契」的終身義工後，每週一，他都會由我們作陪入獄探訪、協助教化。

「大家的老朋友」孫叔叔，不辭辛勞、南北奔波，拿「好東西與好朋友分享」，去「說故事」給人犯聽，人犯都很感動，講聽也很專心，且老少咸宜，個個對這位德高望重的老牌影星，親自入獄關懷受刑人，大受激勵，願意悔改向上。

孫叔叔去探監時，或坐車或搭機，不論走到哪裡，那裡都有人「認識」他：反應快的，認出來後會叫一聲：「孫叔叔好！」反應較慢的，看到那張——帶黑邊鏡框、厚鼻子、黑鬍子的招牌臉孔，也會說：「他好像孫越喔！」的確，全台灣的人幾乎都認識他，也喜愛他。

有一回，在宜蘭監獄做完工作，孫叔叔要趕回台北，偏偏那天火車誤點很久，孫叔叔不得不跳上一部計程車，沒想到「運將」竟然受寵若驚、狂喜不已。

一路上，他猛踩油門、猛按喇叭，不停地用無線電告訴他的親友，說孫叔叔就在他的車上，碰到比較「鐵齒」不相信的，司機還把麥克風轉過來遞給孫叔叔，搞得想閉目養神的孫叔叔，非得說幾句話，「驗明正身」不可。

更有趣的是，孫叔叔既在趕時間，他老兄經過派出所，還要停下來，去喊他的警察朋友出來看他的「偶像」。就這樣一路折騰到台北。

所幸他技術不差，人車安全，時間還比預定的提前。下車前，司機說，因孫叔叔推動公益活動了不起，他要少算兩百元，給孫叔叔買冰、吃點心。

把砲彈打成菜刀

孫叔叔曾在金門當兵，八二三砲戰時，他就在那裡，去年我們去金門監獄佈道時，他問接機的牧師，那裡可以買得到用大陸打過來的砲彈殼做的菜刀，牧師馬上帶我們進去一家百年老店。

老板一見「老兵」來到，欣喜萬分，立刻「下廚」，在廚灶裡揀出一小塊厚厚黑黑的砲彈殼放在爐裡加熱，隨後把那塊紅咚咚的鐵塊放在機器下，以迅速而熟練的動作敲來打去，接著泡油，隨後又在磨石機上磨上磨下，不消一刻鐘，一片粗糙的鐵塊已變成一把閃閃亮亮的菜刀。

老板把刀送給孫叔叔，孫叔叔以書回送，另外他又買了一把帶回送人。把砲彈打成菜刀，如果那意味著，兩岸以後不再打仗，大家用心做菜，正常過生活，享天倫樂，不知多好！

他那像「壞人」？

孫叔叔結束四十年演藝生涯後，就積極投入社會公益活動，他愛國、也愛家。白天再怎麼早出門，晚上一定得回家吃飯。他與孫媽感情很好，覺得一夫一妻廝守終身是上帝的旨意，也是人間一大福氣。「回家吃晚飯」變成孫叔叔的好習慣，我則「有樣學樣」，夫妻間的關係也改善不少。

曾有過三個月的時間，孫叔叔關心他的兩個兒女，中午禁食禱告，祈望他們能在教會熱心事奉，因此，那段時間，每當我們在獄中用餐，別人動筷子，他則喝開水。三個月過後，他神采奕奕，興奮地說上帝已垂聽他的祈求，並且「買一送一」，連大陸的姑媽也信了耶穌。

每兩週一次穿梭在各處的監獄裡，孫叔叔教化完畢後，如有充裕的時間也會到附近的名勝走走。遇有遊覽車滿載觀光客來到，孫叔叔一定忙得不可開交，這個要他簽名，那個要拍照。孫叔叔不但沒推辭，還笑容可掬地為人祝福。有時，那一群人看到我被冷落在一旁，也會走過來安慰我，說：「我在電視上也看過你！」真會說話。

孫叔叔得過兩次金馬獎，拍過兩百多部電影，應該可以擺架子，可是他不耍大牌。這幾年他跑去探監——進入獄中最陰冷、偏僻的角落，與一群被隔離的愛滋囚犯握手、聚會，沒有絲毫畏懼。

很多人看到他近年來，身體「如鷹返老還童」，而且滿面春風，都不禁要稱讚他愈來愈年輕。主持人張小燕小姐還常拿他開玩笑說：「看看孫越，相由心生，過去他在台上演壞人，台下也像個壞人，現在，你們看看，他那像……。」

成為「新造的人」

幾次同他搭飛機，若提早到機場，上一班的飛機未飛走，只要孫叔叔想提前飛，航空公司都會幫忙。萬一客滿，他又在趕時間，也會有旅客主動讓位。他關心別人，人家也關心他，看起來，肯付出愛心的人會有加倍的祝福。

走在馬路上，有些中年人會對著他豎起大姆指，並微微笑、點點頭，似乎在肯定他對社會的貢獻。叼著煙的年輕人遠遠的看到他時，也會主動把煙熄掉。

孫叔叔自己曾是老煙槍，深受其害，自十五年前信了耶穌後戒煙，並且參與推動「拒煙反毒」運動不遺餘力。他自己做榜樣，無形中也給民眾播下「心靈改革」的種子。

進入圍牆內，他放下身段，為了受刑人能改變價值觀，他苦口婆心，勸他們不要放棄希望，要像他一樣，悔改、接受上帝的愛，就能成為「新造的人」。他為他們禱告時，常激動到流淚，也常熱切到雙膝下跪。

前幾年，他見到總統時，曾向總統表示人犯需要教化，如今他履行承諾，親自入獄，去關心那一群曾被人藐視，被家人棄絕的「最微小的一群」，帶給了他們新希望、新人生觀。

人活著，多去關心別人，真有意義。

新郎有淚輕輕彈

心事誰人知？

我因工作特殊之故，常可見到哭泣的新郎，他們為什麼而哭？年輕的時候看鄉下人嫁女兒，鑼鼓喧天，熱鬧非凡。新郎來迎娶時，總是笑咪咪；新娘子則是一把眼淚一把鼻涕，心想從此要離開娘家，跟個「陌生」的男人同住，不禁悲從中來。

曾幾何時，現代人結婚，大夥兒嘻嘻哈哈，再也沒看到誰在哭，倒是我因在多所監獄擔任榮譽教誨師，常見新郎飲泣的場面。

出獄一哭泯恩仇

阿富是大學畢業生，服役期間，趁保管槍枝之便，監守自盜，私藏一把四五手槍。部隊在找不到槍枝時，唯恐事態擴大，於是宣布「只要繳回，既往不究」。阿富本性不惡，見同僚因他不得放假，悔不當初，既然長官願意寬恕，於是自首繳回。

萬沒料到，繳返後翌日他就被收押，並經軍法判處死刑，幸得他上訴，才改判為無期徒刑；但他心裡千萬個不甘心，對長官的言而無信，深惡痛絕，於是伺機報復。

兩年後，他越獄成功，但還未來得及報復，阿富就在一次警察的臨檢中落網，接著把一些破不了的案子全堆在他身上，他又莫名其妙地被司法判處一個無期徒刑。

讓他能夠在獄中活十七年而不瘋狂的力量，是他的「恨」，他恨長官、恨警察、恨檢察官與法官，列出三十個人的名單，準備出獄後一一予以殺害洩恨。那本「基度山恩仇記」就是他的「聖經」。他「信」有恩應還，有仇必報。

來教化他的牧師得知他的冤情，曾以「苦難是化裝的祝福」安慰他，阿富當然不能接受，心想，無端坐牢，生不如死，會有什麼福？

難熬的歲月終成過去，出獄後第二天，他來找我，細談時，想起往事，阿富不堪回首，不禁熱淚盈眶，失聲痛哭。我勸他「愛仇敵」，不要「以牙還牙，以眼還眼」，要「以善報惡，以愛勝恨」。經過一番深思，他終於明白，於是決定放那些人一馬，一「哭」泯恩仇。

後來他得到朋友的協助，在圖書公司上班，三年後，自己創業，不但事業有成，也獲得教會一位司琴小姐的青睞。結婚當天，我站在台上祝福時，看他兩行淚水不聽使喚。我能明瞭，那應該就是——化解冤仇，找到了「化裝的祝福」而感恩的淚水。

毒海無邊勿輕涉

阿生從小家境不錯，國中時，因結交不良少年而沾染毒品，在毒海浮沉多年，想改改不掉，母親多次送他去勒戒所，但屢戒屢敗。幾番坐牢後，家裡的兄弟無不對他失望透頂。

最後一次囚禁時，老邁的父親去面會，臨走前，拋一句話：「兒啊！這可能是我最後一次看你了，你要真正改啊！」

隔沒多久，老父果然一病不起，撒手歸天。監方接到通知後，阿生帶著腳鐐手銬，由兩戒護人員陪隨返家奔喪。在靈前痛哭一場後，阿生在獄中對教化開始有了反應，教誨師說的、過去聽不去的話，現在已能謙卑接受，果然，浪蕩的心已逐漸在收捨。

出獄後，他住過「更生團契」的中途之家，除接受輔導外，也在戒毒中心幫助別人戒毒。事隔六年，他非但不再碰毒，生活也極正常，教會裡一位護士，是醫師的女兒，見他勤快，願意下嫁給他。

結婚時阿生深以獲得重生，並被社會接納而感恩，就在詩班唱起「愛的禮讚」時，他想起昔日像匹兇暴的大黑狼，如今卻如小綿羊般馴服，在緊靠著帶有一絲淺淺微笑的新娘子身邊，一時銘感五內，哽咽不已。

經歷滄桑更惜緣

東尼在澳門長大，讀國中時學會打麻將。從此沒完沒了，曠課、逃學，二年級未讀完就休學了。

二十歲起，他開始進入賭場混，以賭為業，借錢、騙錢，愈陷愈深，父母對他束手無策，不得不送他遠渡重洋，到巴布亞紐幾內亞去協助兄長做生意。

可惜好景不常，哥哥的商店有一次被搶，年老的合夥人與他一同被捆綁，因合夥人身體衰弱竟窒息身亡。而他後來在清點財務損失時，於死者的房內意外發現一筆巨款，一時起了貪念，占為己有。之後，歹徒被捕，他因侵吞那筆錢被查獲，遭法院以共同搶劫謀殺罪名，判處二十五年徒判。

所幸在獄中，他接受一位外籍宣教士開導，知罪悔改，心靈逐年獲得更新重建。

巴國後來因國慶減刑，東尼就在服刑八年後獲得假釋。出獄後，他與宣教士同住多時，繼續接受栽培，且得著機會進入聖經學校就讀。

有一年暑假，在美國華府舉行的國際更生團契世界大會裡，他結識一位來自台灣的監獄女傳道師，兩人一見鍾情，經過魚雁往返一年多，有情人終成眷屬。

結婚那日，我搭機前往祝賀，在全是男性更生人組成的詩班唱起「愛的呼喚」一曲時，他撫今追昔，感情萬分，淚光裡不停地閃爍著他的喜悅與感恩。

出獄人經歷滄桑，幸得締造良緣，在自覺不配之餘，常感激涕零；一般人的婚姻，其實也得來不易，應當善加疼惜。

最難過的一日

當人犯面對被害人

克萊格因殺人罪被判處無期徒刑，坐牢已十四年，如果你問他，在獄中最難過的事是什麼，答案絕不是監獄暴動或被獄友修理。

真正令他感到最痛苦的是，與被害人的家屬面對面，細聽他們述說心中的憤怒與傷慟的往事。

美國監所裡現在有「被害人與加害人和好」的課程，致力於這項工作的效果，一定會比只把人犯關起來更為顯著。

在美國的司法制度下，大部分的受刑人都沒有機會與被害人說話，有的頂多是在出庭時匆匆一瞥。政府判他們刑，但未能給他們機會向受害人表達歉意，政策顯然有欠週延。

這種不合人道的制度，剝奪了加害人去瞭解受害人的感受與痛楚的機會，因此，

「被害人與加害人兩造和好」的課程就帶來截然不同的正面意義。

就像克萊格說的，「與被害人的家屬見面，幫我看見自己是罪有應得，該受懲罰」。他那種對責任感的強烈體認，比只判他坐牢更易於讓他覺悟。

真正的痛悔

「和好」對每一位刑案的關係人都有益處：對受害人而言，它提供機會表達受害時的憤怒及傷痛。對加害人來說，則是給他們看到「人要為自己的行為負責任」，並且還要儘量予以彌補及挽回。通常這樣的聚會，最後都是以加害人向被害人致歉，並表示願意負擔賠償的責任為結束。

況且，和解本身也是良好的刑事政策。以目前高居不下的再犯率看，我們應該很清楚，因為監獄只關得了人的「身」，改變不了人的「心」，「兩造和解」的課程可以帶來加害人內心真正的懺悔。

一名受刑人猶利士曾說，當他坐牢時很後悔，他的意思是「我真倒霉，被逮到」，但當他參加兩造和好的課程時，他說，那是我頭一次把受害人當成真正的人看待。他加以解釋說：「我現在才體會到，他們就像是我的媽媽、爸爸、哥哥、姊姊。」

課程結束後，他感受到從未有過的「真正痛悔及感同身受。」

用饒恕補破網

悔悟之後才能帶來真正的改變，根據一九九二年美國明尼蘇打州犯罪與制裁委員會的研究報告，青少年犯參加這種和好課程的，出獄後的再犯率，幾乎是零。

看看你們的地方法院有無這種課程，聖經裡的公義準則是，罪要處置，但恢復社區的和諧，也是等同重要。

犯罪把整個社會的安寧網戳破了一個大洞，兩造的和好與饒恕能縫補破網，使社會恢復祥和，並帶來聖經裡所應許的「真平安」。

今朝醉酒今朝戒

醉，最不上道

據統計，半數以上車禍、八成的暴力及六成的兒童施虐案件，都與酒有關；而跟愛喝酒的人同住，被殺害的可能性是一般人的七倍。

廣告詞說：「醉不上道！」聽起來像雙關語；說的也是，酒品不佳的人，喝起酒來，胡言亂語，甚至有暴力傾向，實在一點也不「上道」。厲害些的，酒後上了「車」道，險象環生，車毀人亡是常事，能不肇禍算是萬幸。

幾年前，我輔導過因酒醉縱火、燒死「神話ＫＴＶ」十六條人命的湯銘雄，他過去是典型的醉漢，槍決之前，還因天天把酒當水喝而懺悔不已。在我所接觸的人犯中，有不少是因酒滋事，導致家破人亡、妻離子散的個案，願列舉實例供癮君子引為殷鑑。

一醉竟成千古恨

他，是個大男人主義者，某日喝得酩酊爛醉，深夜回到家，吵醒家人後，強逼睡眼惺忪的妻子起來煮麵。太太明知他只是無理取鬧，為息事寧人，還是下廚去。

等麵煮妥，他老兄已醉臥沙發睡著了。太太心想，就讓他睡吧。萬沒想到，幾個鐘頭後他醒過來，見麵已涼，二話不說，就揪住太太的頭髮揍她。太太逃往浴室，他又拿著菜刀追過去，在混戰中，一不小心，刺死了太太。

當我在看守所與他面對面時，他想到亡妻，想到稚子，真有椎心之痛，然而淚流再多，也為時已遲。說實在的，酒量若拿捏不準，一超過限度，酒氣攻心，人就完全失去理智，若無外力的控制，任何人都有可能做出永難彌補的憾事。

醉死不賠命

一位跑業務的男人，酒後與太太爭吵，一氣之下，把親生的嬰孩摔死。當被判重刑，關在綠島獨居房時，他一度懺悔；但出獄後，因太太早已離他而去，自己又無一技之長，於是常藉酒澆愁。

偶爾他會來「更生團契」與我們閒談，但常是酒氣薰人，雖勸他戒酒，但他一個人獨居慣了，那有可能。有一次生病，醫師發現他已患有肝癌，再三吩咐他不得再碰一滴酒，那知他三天不喝就受不了。

隔沒半年，有一天，妹妹去探視時，發現他人趴在桌上，身體僵硬，桌面上，還擺著未喝完的酒，人早已死了多時。

少乾一杯真智慧

有人說「戒酒比戒毒難」，從輔導經驗得知，短期間戒酒，難收實效。因酒到處有，種類多、價錢便宜，婚喪喜慶喝酒又是台灣人的文化，且一喝非「呼乾啦」不可。

這種喝過頭惹來的禍可真不少，像半數以上的車禍、八成的暴力及六成的兒童施虐案件，都與酒有關。

更可怕的是，與愛喝酒的人住在一起，被殺害的可能性高過常人的七倍。酗酒成性，危機重重。但喝酒又不犯罪，有些人因而愈喝愈凶，惹出不少麻煩，於是我只好在獄中大聲疾呼：「少乾一杯真智慧，再喝一杯變頹廢。」

但言者諄諄，聽者藐藐，阿華從小因父母離異開始喝酒，幾度進出監獄，惡習仍無法拔除。曾酒後騎摩托車，沒戴安全帽，摔傷自己，縫了幾十針。住在我們的「中途之家」時，雖聽勸告戒過幾個月酒，但一日碰到友人宴客，大家乾杯，他又按捺不住，幾經波折，最後惹來胃出血、胃被切割一半的命運。

酒不迷人人自迷

方先生因酒後在餐廳鬧事，用椅子砸死人，他先是被判死刑，後以無期徒刑定讞。十年在獄中，因妻子長期關懷而痛改前非，許願出獄後，絕對滴酒不沾。果然後來凡摻有酒的菜，如醉蝦、麻油雞，他完全不碰，說到做到，一點都不妥協。

有一次我帶他回監獄做見證，路上買了便當，準備在車上吃午餐，那時約差十五分鐘就是中午十二點整，大家上了車就動筷子，那知他竟文風不動。一問才知道他自出獄後，自己與上帝立約，午餐非得十二點正不可。他說：「過去因為沒有原則，朋友半夜來一通電話，我就跟人去喝到天亮，搞到最後要坐牢。」現在他已學到教訓，律己甚嚴，沒有再犯。

一語驚醒夢中人，如果法國那位司機保羅，堅持酒後不駕車，黛安娜王妃也許就不至於枉死。可惜，酒不迷人人自迷，若肯約束己心，就不會放浪形骸，自毀前程。

這一杯有必要嗎？

美國有一名酒徒，說他戒酒多次，屢戒屢敗，問我們牧師怎麼辦。牧師說酗酒是「病」，也是「罪」，想戒酒，必須先悔改，只要「肯謙卑，臉伏於地，甘受掌摑，飽嘗凌辱，或許還有希望」。

經過一段時間與牧師讀經、靈修，有一天，照著牧師的指示，他回到過去常光顧的酒吧，學著狗從門口「臉伏於地」爬了進去。酒友瞧見他的模樣，以為他喝醉了，這個大笑，那個大叫。爬了一圈，「飽嘗凌辱」後，一進一出不到十分鐘，他淚水沾襟，與守在門外的牧師相擁，從此告別酒瓶，身心全然獲得自由。

台灣有的男人愛上酒家喝「花酒」，如果能如法泡製，有些人應該不至於弄得身敗名裂。

酒友們，當你端起酒杯，請問自己一個問題：「這一杯有必要嗎？」勸君：今朝醉酒今朝戒，莫待明日來後悔。

「賭」物思人淚潸潸

一賭輸錢又輸人

賭贏了，自以為有本事；賭輸了，自以為有行情，才輸得起；當賭得昏天暗地、愈陷愈深時，怎知自己已墜入罪惡的淵藪。

最近國內出現網路賭站，賭客超過千人，營業額高達上億。國人愛賭是事實，從我懂事的年紀起，每年春節，村子裡，從小到大幾乎人人皆賭。芭樂園內，這裡一攤，那裡一夥；白天賭，晚上挑燈再戰，賭個一星期是常事。過了元宵，愛賭的人就轉移陣地，繼續賭。

因此，原本純樸的鄉下人，好多就這樣養成好賭的惡習。有些一輩子都在賭，賭到傾家蕩產，妻離子散，甚或剁掉一根兩根手指頭，依然在賭。

「借」公款吃牢飯

阿祥，大學畢業後進入銀行工作，學的是企管，銀行的業務當然得心應手。服務兩年後，雖然還只是個櫃台員，但他的人聰明、反應快，深得長官信任。

整個銀行裡，沒有人知道他從七歲開始就會賭，什麼賭都會，樣樣精通。

後來他玩起「六合彩」，一星期兩次，跟著朋友買「明牌」。贏過幾次錢後，對自己愈來愈有信心，於是「乘勝追擊」，愈玩愈大，大到有時一次賭注一兩百萬都有。

當然，明牌不可能每次都準，所以只要輸了大錢，心生不甘，就想盡辦法非贏回來不可。但本身收入有限，能借的人早已借過。

財迷心竅之下，他開始動腦筋「借」公款，心想，等贏了錢再悄悄還回去也不遲。於是，短短一個月，先後共計挪用公款一千兩百多萬元。

東窗事發後，他以貪汙罪被判處八年徒刑，鋃鐺入獄時才悔恨交加。

「罪惡之都」的賭城

其實不只國人愛賭，美國人也愛賭，內華達州開放合法賭博，每年都是六百億美元的生意。我曾在三個著名賭城之一的「雷諾」為籌學費打過工，親眼見過醉漢夜臥街頭，也看過賭客互毆、滋生是非，三更半夜也常被警車鳴叫聲吵醒。

當年美國政府以為賭博合法化，能提供就業機會、推動觀光旅遊業及促進經濟發展，如今得不償失，換得的是更高的犯罪率。

據美國聯邦政府統計，內華達州的自殺率、離婚率、高中生輟學率及婦女被殺害率，名列全美各州的榜首；墮胎、宣告破產居第三；強姦、未婚生子、因酒死亡占第四；一般犯罪率居第五；獄中的人犯數目排名第六。

被稱為「罪惡之都」的賭城拉斯維加斯，色情行業猖獗，光是電話簿裡登記的應召女郎或色情廣告，就有一百三十六頁之多。當年說賭博可以帶來繁榮的人，現在看到犯罪數據都噤若寒蟬。

「覆水難收」，合法性的賭博給美國帶來的傷害已是罄竹難書，台灣有人提議要開放澎湖設賭場，殷鑑不遠，能不三思？

「反毒」也應「反賭」

我輔導的另一受刑人阿明，自幼家裡就設賭場抽頭，耳濡目染之下，他國中時就跟著別人一起賭。高中畢業後，他找到好工作，收入不壞；每天忙碌過後，他跟著朋友進入職業賭場賭。

賭贏時，阿明沾沾自喜，自以為有本事；賭輸了，在人前仍然昂首挺胸，自以為有「行情」，才輸得起。當賭得昏天暗地，愈陷愈深時，整個人像上癮的菸毒犯一樣，不賭不可。於是這裡借，那裡借，最後賭掉了工作，也賭掉了親情、友情。

有一天，一個朋友向他表示有一條路，短期內可賺大錢，又很安全。他心想只要闖幾次，弄個一兩千萬還債，跟女朋友結婚後就洗手不幹，於是一口答應。

按著計畫，他跑到泰國，見了連絡人，也玩了幾天，要回台灣前，他腰間綁了四塊重達一千多公克的純海洛因磚，以為神不知鬼不覺，大搖大擺要入關時，被早已掌握動態的幹員逮個正著。一個只因愛賭博，從未有前科的生意人，就這樣被判無期徒刑定讞而毀了一生。

賭博之害人人知，但因賭衍生的更多罪惡，恐怕少有人注意。法務部的資料顯示，每年因賭博罪被判決確定的人口約在三萬、四萬間，居台灣各種犯罪案件之冠，比麻藥及毒品犯罪加起來的人數還要多。所以，政府在「反毒」之餘，也要「反賭」才是。

Part 2 死因的獨白與旁白

～因為罪的工價乃是死；
惟有神的恩賜，
在我們的主基督耶穌裡，
乃是永生。

【羅馬書】六・23

救一個靈魂不死

最笨還是最美的女人？

在印尼有位年輕人，整日遊手好閒，他那基督徒的母親，在教會找了位姐妹嫁給他，他卻因這位姐妹的外貌不佳而百般欺侮、羞辱她，妻子卻用基督的愛來愛他、服侍他。

後來那位年輕人得眼疾失明，脾氣更是暴躁得厲害，他太太仍以愛心來服侍他。在一個機會裏，因有人捐眼角膜而使他得醫治。

出院當天，沒見到妻子來接，他非常生氣，到家中，便衝進廚房，抓著妻子的領子要打她一巴掌時，赫然發現他妻子沒有眼睛了，頓時之間他恍然大悟。原來是妻子給了他眼角膜，他深受感動，跪在妻子面前求饒，妻子拍拍他的肩膀跟他說：「耶穌愛你，耶穌愛你。」後來他丈夫信主也成了傳道人。以後他每次去那裡講道，都帶著他的妻子，並認為她是全世界最美的女人。

也許我們會想，這位姐妹為何這麼笨，給他一隻眼睛不就好了嗎？這就像耶穌為什麼要被釘十字架一樣，因為祂完全的愛才能帶來完全的饒恕與赦免。你我愈多經歷主耶穌的愛，就愈能饒恕任何人。

到底他有沒有信？

傳福音給死刑犯，就像傳給一般人犯一樣，是主交給我的託付。

因綁架新光集團吳東亮案，轟動一時被判死刑的胡關寶、張家虎，已在土城台北監獄刑場被執行槍決。

胡關寶被捕後，我第一次去看他是在士林看守所。之後，他拘押於台北看守所期間，幾乎每星期二我都會去陪他讀經、禱告。他自稱是天主教徒，從小就受過洗。為了幫助他更明白救恩，我曾邀傳道人、更生人去彈琴唱詩，講蒙恩得救見證給他聽。「更生團契」的通信義工們，也不斷地以書信勸勉他。

後來他受神愛的感動，表示願意接受耶穌為救主，我們看他口裡承認、心裡相信，也幫他做決志的禱告，使他歸在主基督的名下。

因見他官司已經打到最高法院，時日不多，「更生團契」經考核他的信仰，徵得他自己的同意後，就在十月十五日請曾在士林看守所輔導他的蕭煌德牧師為他舉行浸禮。那天，他在三個見證人面前所做的悔改見證也頗為感人。

為了慎重起見，受浸前跪在水池內，蕭牧師還再次問他是否真心悔改，相不相信只要「認自己的罪，神是信實的、是公義的，必要赦免我們的罪，洗淨我們一切的不義。」他的答覆都是肯定的，同工們明白他確實清楚救恩後，才放心地為他施浸。

事滿一週之後，報載他傳紙條給張家虎，要張家虎想辦法脫逃，再找人來幫他逃獄。所方截到紙條後，為了怕刺激胡關寶，不敢告訴他，因此我也不便去證實。

臨槍決前的一兩天，他在檢察官面前對四大懸案供詞又是前後不符；甚至在執行之前臉色發白，步履蹣跚無力，不禁有人要問：「到底他有沒有信？」

得救與得勝

聖經上說：「隱祕的事，是屬耶和華。」胡關寶被捕後，幾次脫逃、自殺不成，是歷年來給監所戒護人員最頭痛的重量級死刑犯。我們在百般困難中向所方要求到隔離區傳福音給做惡多端的人犯，是費盡心思，仁至義盡，對他該說的都說了，能做的也都盡了力，他最後幾天的表現，我們實在難以掌握，也是力不能及。

「到底他是否得救？」在人這邊，我們根據聖經的教導都照做了，但他信仰的真相如何，只有主知道。

不過「得救」與「得勝」還是有分別，「得勝」則需要跟隨主。胡關寶在處決前幾天，面臨諸多指責、輿論壓力及檢察官多次冗長的追問，已感心力交瘁，加上案發之後到槍決只有十個多月；短期間在監獄重重困難的環境當中，我們能給他的輔導及靈性的帶領極為有限；因此他活不出基督徒美好的見證，甚至勝不過死亡的威脅，也是在所難免。

其實我們信主很久的人，也都難免會軟弱，甚至連在母腹裡就已被聖靈充滿，為耶穌施洗的約翰在獄中面臨處決前，也不禁要問主耶穌說：「那將要來的是你麼?還是我們等候別人呢？」在生死交戰時，屬靈大漢尚且如此，何況初信不到一個月，且最後並未否認主名的屬靈嬰孩胡關寶。

從監獄回天家

多年來，我在監所輔導過的死刑犯有一兩百個；大陸來的馬曉濱、殺雙警的李立忠等都與他們談過道。有的態度溫和，但拒絕福音；有的倔強不馴，揚言要報復；有的則一副無所謂的樣子。但經同工及義工們長期帶領之下，信主的死刑犯都曾留下美好的見證。

像溫錦隆臨走之前，見人就勸他要信耶穌；在刑場，同案的三個人面無表情，他則低頭禱告，並捐出一對眼角膜。吳新華集團的李德善，處決那天凌晨四時從窗口看到執行官的車隊開進來，就跟同房的徐弟兄說：「感謝主！如果他們不來，我就不能回去見天父！」而「新店之狼」施曙彧，捐出全部器官，他的主管事後見證說：「他走得漂漂亮亮。」還有劉錦鐘，他除了捐贈器官外，也在執法人員、醫生及記者等多人面前，做了極美好的信仰告白。我們很懷念這些弟兄，相信神也已經接納他們並寬恕他們一切的罪過。

傳福音給死刑犯，就像傳給一般人犯一樣，雖是主給我的恩賜，但背負他們靈魂的重擔卻常讓我百感交集。因為不忍眼睜睜看著他們從「監獄」走進「地獄」，輔導時必須為他們的靈魂時刻儆醒，尤其在他們被執行前，更讓我難吃難睡。

目前在台北看守所內，每週固定兩次「更生團契」的聚會裡，還有近十位死刑犯，他們有的信心不錯，但極需要代禱與關懷，更需要專職人員來投入，這是主的工作，被釘在十字架上耶穌，還是給釘在旁邊的死囚有機會悔改。請你和我們一起，把死囚的靈魂從陰間的門搶過來，帶進那愛的國度裡。

死刑犯的三支電話

法外施恩

死刑雖有其存在的意義，但「法外施恩」卻一直也是聖經的原則。

前年陪國內幾位典獄長到美國加州參觀監獄，走進有百年歷史的聖崑汀（San Quentin）監獄，看見執行死刑的瓦斯房牆上掛有三支電話，我好奇地問管理員，他答稱一支可以打給州長，如果州長肯，死囚還有特赦、減刑的機會；另一支通州檢察長，如果他提非常上訴，也可暫緩執行；最後一支則能打回家裡告別。

聽完之後我感觸良多，一個講法治的國家，同時也重視人權，實在值得欽佩。

公義的神有恩典

人是照神的形像塑造的，人的生命理應被尊重，「殺人者死」雖在摩西律法上有明文規定，從亞伯遭胞兄該隱謀殺一事看，神為顯明公義，事後咒詛他，但當該隱知錯時說：「我的刑罰太重，過於我所能當的。」神因該隱願尋求祂的面，就給他「立一個記號，免得人遇見他就殺他。」在執行公義的同時，神也會酌情施恩。

新約聖經裡，處處可見神的恩典，那位在行淫時被拿的婦人，照律法原該用石頭打死，主耶穌竟然沒定她的罪，只嚴嚴的囑咐她：「去吧！從此不要再犯罪了。」主是期望人得赦免之恩後，能痛改前非，重新做人。刑罰有可能令人垂頭喪志，恩典卻能使浪子回頭。

因此，從聖經的真理談死刑，律法上雖有處死的嚴刑峻法，但「神是愛」，祂知道「死」的冷酷，所以用愛來遮蓋。在新、舊約中，我們不難發現神在執行「公義」和施行「慈愛」的矛盾中，是藉著十字架來兩全其美。

神用捨命的「愛」滿足自己所設立「公義」的要求。十字架上，神審判自己的兒子耶穌，執行「公義」，使原本該沈淪的人，因基督替死的「愛」，得以「出死入生」，這是神的救法，為有罪的人開了一條又新又活的路。

熱淚與冷血

國人相信「治亂世，用重典」，據法務部統計，生命刑（死刑）之執行，在一九八八年有二十二個，八九年有六十九個，九〇年有七十八個，九一年有五十九個，九二年較少，只有三十五個，短短五年就處決二百六十三個死刑犯，然而，這幾年治安有否改善？照一九九二年的統計，成年犯人數雖然稍減，少年犯則登上十二年來最高峰。

所以，想以死刑「殺雞儆猴」、嚇阻犯罪，其效果並不彰。若死刑存有「報復主義」思想，充其量也不過是以暴制暴，仍是「以牙還牙」野蠻天性的流露而已。

死刑應否廢除？依我輔導近百名死囚的經歷看，死刑犯有兩種：一種有「熱淚」，另一種則「冷血」。對真心悔悟、知罪認罪者，神既不輕看憂傷痛悔的心，人更不應該漠視，宜考慮就現行法或立新法予以再生的機會。

更生團契曾在台北看守所輔導過一名李姓死刑犯，他聽福音後悔改，生命有改變，法官根據刑法第五十七條科刑標準，審酌他「犯罪後之態度」，從死刑改判他無期徒刑，目前他活得很喜樂，臉上常有蒙恩的笑容，行為表現優良，刻正修習一技之長以期出監後能回饋社會，為主作見證。

對於怙惡不悛、「見了棺材不掉淚」的死囚，我和民意調查百分之七十二的社會大眾一樣，贊同死刑，因了無悔意的人容易以報復洩恨，若留下來，還是會作姦犯科，繼續行惡，那時後果就不堪設想了，最近報紙刊登的一個殺人案子，就是這種情形。

人犯有無真正悔改，認定並不困難，悔改者常勇於認罪，無懼死亡，更樂意助人，甚至身上器官也願意捐贈。經傳道人或輔導員長期教化觀察，真悔改是可以辨認的，像已被處決的「冷面殺手」劉煥榮，應該是屬於這一類型的人。他有悔改向善的心，也結出悔改的果子，幫助許多獄中的人。

再給他一個機會

強盜殺人嫌疑犯蘇炳坤落網後，一再流淚喊冤，也引起社會關切，到底他有沒有犯案？

美國的獄政學者Yochelson在「人犯的特質」一書裡，清楚載明，一般人偶爾會撒謊，但犯罪人說謊是他們的「生活方式」。

其實，人犯本身最能分辨真偽，但要講實話與否，端賴那一種話對他們的處境有利。所以人犯的話，虛虛實實，真偽莫辨；有時，可怕到一個地步，連謊言說久了，他們自己都信以為真。

然而在美國，「人權至上」，即使犯罪有原告，被告也有自白，但在找不到證據的情況下，法庭仍會當他是無辜的。縱有指控的人，又找到證據，但陪審團如認為「無罪」，法官也只能像對「辛普森案」一樣，對人犯開釋，因為他們重視人權，不敢有先入為主的觀念。

反觀我國，「訟者終凶」，一旦涉及司法，終生不吉，在「自由心證」的大前提下，法官也會認定：「為什麼原告不告別人，要告你？一定是你有問題！」而檢察官也很容易根據警察的筆錄，即刻將嫌犯收押，任憑嫌犯頻頻喊冤，說是被刑求的，檢察官也會反問：「那你為什麼要承認？」

多年在獄中輔導人犯，一半以上的人都曾摸著良心對我說：曾遭警察刑求，或坐冰塊、或灌水等，在痛苦不堪、忍受不了時，他們不得不「說謊」，一一承認警察要他們承認的犯行。而我出身警界，無意與警察做對，唯辦案的方法，不能不科學化、人性化，「包青天」那一套拷問的方式，已太封建、不合時宜了。

我建議警察應在有錄音及錄影室裡問案，免得為了「爭功」或急於破案，有不當之舉，一方面也可以保護自己，免遭人犯反告。

另外，因為「人命關天」，在我所接觸的死刑犯，臨終時仍喊「法官草菅人命」的情形下，建議政府，在最高法院職司最後一關——死刑確定時，讓喊冤的、無證據的，在死囚提出「非常上訴」時，有機會獲得「非常判決」。

以目前「非常上訴不影響執行」，非常上訴雖有若無。若能參考國外的陪審團制度，選出真正公義及從事社會公益多年的人士十二人，在人犯提出非常上訴時，組成最後的「終結陪審團」。如該陪審團認定「該死」，死囚只好俯首，如認定有「再審」的必要，則應給人犯有再生的機會，這樣的制度才有辦法彌補目前三審、無陪審團可能濫殺無辜的缺失。

最後的野蠻

日本有一犯罪學家說：「死刑是二十世紀正在消失中的最後野蠻。」文明國家如美國，對死刑之存廢也爭論多時，加州就曾因各方之歧見而延緩執行死刑達二十年之久。但在我們參觀後的隔年，聖崑汀監獄刑場內的瓦斯房，那座冰冷的「死神寶座」又重新啟用了。

我們的國家經濟起飛，社會也在進步中，如果百姓懂得信靠耶穌，就懂得惜福，即使法律仍舊扮演「劊子手」，對守法的公民來說，應無絲毫的威脅。

「死刑」依然有其意義，但「法外施恩」一直是聖經的原則，悔改的死刑犯該給予重生的機會，像神給我們機會一樣：「信得永生，罪得赦免。」

可是，一再拒絕恩典的結局就是滅亡，十字架上那兩個與主同釘的大盜死囚，一個悔改，蒙主恩寵，不悔改的，就是上帝也救不了他。

越過真正的死亡線

死刑前的認罪

《越過死亡線》（Dead-man Walking），是一部以獄中教化死囚為題材的電影。片中修女海倫・畢珍收到死囚的信，基於人道關懷的立場，帶著憐憫的心腸進入監獄與死囚對談。在無設防的初次探訪中，修女聽信死囚的話，誤以為他真是無辜的，於是不斷地找人幫他上訴或爭取州長的特赦，最後還是徒勞無功。然而死囚因感受到神與人的愛，在被執行死刑前，終向修女坦承親手殺害一人，並向受害家屬承認己罪，請求饒恕。

該片劇情是由幾個海倫修女輔導個案中之精彩片段串連而成，女主角因在劇中真實表現出人性的堅忍與溫情、矛盾與執著，而奪得奧斯卡最佳女主角。

無條件的愛

社會上關懷弱勢團體者並不多，戲中的白人修女曾長期關懷貧窮落後的黑人區，本著人飢己飢、人溺己溺的精神，踏進監獄。她因愛而付出的許多代價，並非人人激賞；人道關懷者仍要面臨各樣挑戰。

同做教化的駐監神父先是冷言冷語，質問其動機是否病態著迷或惻隱之心；監方戒護人員不屑的眼神與揶揄；人犯玩世不恭的態度、頂撞及被害家屬的仇恨等，都需一一克服。但本著一份對真理的執著，海倫勝過疑慮，深信這是天職，於是展現無條件的愛，關懷到底。

她不但想救死囚的靈魂，也反對死刑的殘酷；原本只顧及人犯的需要，卻忽略了受害家屬心中的傷痛，在被二位死者親人反唇相譏後，海倫內心不存芥蒂，反而主動探訪，聆聽他們喪失兒女的悲痛心聲，誠懇安慰他們。

她在關懷別人中成長，愛的胸襟不斷的擴充，愛的熱火不停燃燒；她以同理心進入死囚與被害家屬的心境，提供了內在醫治的秘方，不但是全方位的人道關懷，也是最佳的監獄福音工作楷模。

愛才能使傷口縫合

片中並未刻意探討死刑的存廢問題，但從死囚最後的遺言：「政府與個人都不應該殺人」，可以稍加揣摩劇情的取向仍偏重反對死刑，因修女本人在社會上就是知名的反對死刑人士。

廢止死刑的訴求見仁見智，但也不無道理，因嚴刑峻罰並沒有減少犯罪的功能。我國近年來執行死刑次數逐年上升，治安卻沒有因此改善，以暴制暴不能止暴，也不能療傷。處決後，人對人的恨意可能減少，心靈的創傷仍在，藥物及心理醫生永不能治療。只有以善才能勝惡，也只有愛才能永遠使傷口縫合。

死是人犯罪的結局，神樂見人再生，刑法第五十九條也針對人犯罪後悔改的態度，闡明得以減輕其刑。在警察辦案尚未科學化、司法人員執法仍未能完全公正前，有誤殺無辜的可能；政府在未能廢除死刑時，審理案情宜謹慎、再謹慎，才能代表神的權柄執掌公義，如果人犯有後悔的確據，「法外施恩」也一直是聖經的真理。

不再是雜種畜牲

人在犯罪後，通常都會盡力掩飾或推卸責任，以獲得輕刑；真正悔改、伏首認罪的少之又少；人犯掩過飾非的心態一旦養成，出獄後對整個社會的危害更大。社會上合法掩護非法的行業、黑道買票擠入政壇漂白等，頗多是教化不彰所結的苦果。

目前監獄的教化，限於場地、工作或戒護困難，教化人員常有「英雄無用武之地」的感想；然而神的託付在身，不做不可，盡力做，救一個算一個，只是面對全國約五萬個受刑人，我們的教化功能僅約百分之一的果效，徒呼奈何！

《越過死亡線》片中女主角深知福音的大能是要救一切相信的人，在輔導過程中，她很少沒有聖經話語教導，甚至一句簡單的：「你現在是『天父的兒子』（son of God）」，都深深震撼死囚的心，因為他一生只聽過別人罵他是雜種、畜牲（son of bitch）。如果不是教化成功，一般人至死不認錯，只有福音才真正能使人軟化、改變。

影片的迷思與啓示

當然，電影要精彩，可能難免要有些穿鑿附會，該片多次提到共犯有錢請到好律師，才獲判無期，而死囚家裡貧窮，只有死路一條。「有錢判生，無錢判死」部份屬真，但本案其實不然。

依國際特赦組織的資料所記，本案死囚出自問題家庭，與親弟弟共同殺害一對青年男女，弟弟被判兩個無期，因哥哥是主謀，經法庭認定處以極刑。

然而片中死囚求生的慾望，及在生死邊緣心靈的交戰與掙扎，應有激發人愛惜生命的作用。人不但應珍惜生命，更應善用有限的一生，去達成人生的最高境界，發揮生命的最大功能，也就是「燃燒自己，照亮別人」。

死裡逃生與重生

哀哭變為跳舞

在我輔導死囚的經驗中，這兩個「死裡逃生與重生」的個案令我印象深刻，他們的故事值得犯罪邊緣人警惕。

十多年來，我在看守所裡，手所摸過的死刑犯不下百餘人。其中一半以上早已被槍決，有些則經改判倖存人間。

這些經歷過「哀哭變為跳舞，脫去麻衣披上喜樂」後的囚犯，現在人生觀都有極大的轉變，像噩夢乍醒、大病初癒一樣，喜不自勝。其中有兩位讓我印象深刻，願你一起來分享他們「輓歌變調，凱歌奏起」的喜悅。

收到一件禮物沒有?

阿強自幼雙親失和，他因個性偏激，自卑又自大。長大後結交壞朋友，放縱情慾，吸毒酗酒，終日滋生是非，進出派出所或少年法庭成了家常便飯。儘管家人一次又一次地告誡，他就是不聽。

二十幾歲時，他與幾個年輕人綁架一名小孩，三天與警察捉迷藏的勒贖過程幾乎像電影。取得贖金後，他們放了學童，但隔沒幾天，共犯相繼被捕，他東藏西躲，雖有恐懼，卻一不做二不休，與另外幾個損友，又去犯了一件富商綁架案。

天網恢恢，在押人取款時，他被逮個正著，也結束了半年的逃亡生涯。地院宣判他死刑的那天晚上，在看守所裡，他回想過去的罪惡及辛苦一生的年邁母親，悲從中來，淚流滿面，他告訴我，他真是「痛不欲生，悔不當初」。

之後我請他參加獄中的「更生團契」聚會，來了幾趟後，有一次他聽到一個出獄的更生人在裡面唱：「有一件禮物，你收到沒有?眼睛看不到，心裡會明瞭……馬槽的嬰孩是為你而來。」頓時，他說：「枯竭的心靈如喜獲甘霖一般，舒暢不已。」

一年半後，最高法院可能以他未曾傷害被害人，是「良心未泯」，改判他無期徒刑。當卸下那重達三斤重的腳鐐時，他身輕如燕，剎那間喜極而泣。

從此他努力在獄中讀書，不但把高中補校讀完，還被挑選到嘉義監獄的空中大學，成了頭一屆的大學生。他有一個願景，就是希望將來出獄後能夠再度踏入監獄，跟我一起去教化受刑人。

「人財兩失」思「報復」

大魯過去是職業軍人，少校退役後認識一個女孩，彼此一見鍾情，後來就住在一起。兩人的生活習慣不同，軍人出身的他要早睡早起；女方因為做仲介，上班有彈性，電視常看到凌晨。

有一次，熟睡中的大魯又被電視聲吵醒，一氣之下起來扯斷電線，痛罵她一頓。女的不甘示弱，回嘴時被他在粉頰上打了一個大巴掌。

第二天，一切如常。第三天，大魯下班後打開門一看，人去樓空，不但家具全被搬走，連僅有的一些退休金也不見了。大魯在痛哭之餘，悔恨自己太粗魯，在找不到女友的下落時，一度想了斷殘生，但每每想起「人財兩失」，心中就萬般不甘，於是計畫「報復」。

偶然在報上看到一則賣藥的小廣告，說什麼「擁有它就擁有快樂，甚至與人發生關係後，兩個小時會忘掉一切」。大魯心中大喜，一口氣買了四罐，並開始尋找目標。

有一天在速食店裡，他看到一個漂亮的女孩，趁她上廁所之餘，偷偷地去下藥在她的飲料裡。

小姐回座後，喝了不到五分鐘，精神開始恍惚，大魯見機不可失，趕緊過去扶著她，並把她帶到隔壁大樓的頂樓。當企圖強暴她時，剛好被巡邏的警衛瞧見，他一時心慌，立即逃離現場。

就是新造的人

但大魯沒有知難而退，一試再試，一年之內不但強暴幾個得逞，還搶走她們的皮包。也許是愚蠢，也許是愧疚，每次作案後，隔一段時間，他會打電話給被害人請求原諒，並希望能夠跟她做朋友。後來他強暴一位女記者，約她見面時，她報警，才把這隻狼逮捕歸案。

收押後，他心靈受煎熬，日夜痛苦難當。在收到一審死刑的判決書後，他幾度嘗試了結自己的生命，但都沒有成功。正當他覺得人生無趣、前途茫茫時，他聽到我們在教化受刑人說：「若有人在基督裡，他就是新造的人，舊事已過，都變成新的了……」很受感動，向我們表明他願意悔改。

官司在兩度判處死刑後，他因有了信仰，心情還算平靜，後來也被改判為無期徒刑。時過五年，他如今心中常存感恩。偶爾也會把獄中做工省下的錢，寄到外面捐助有需要的人。跑掉的女友，至今仍不知下落，但他已經沒有恨，只誠心祝福她能嫁個好丈夫，幸福過日。

從輔導死囚累積的經驗得知，能「死裡逃生」的，大多是未曾涉及人命。寄語正在犯罪邊緣徘徊的人，生命是寶貴的，誰都無權去傷害或奪取另一個人的生命，及早離開是非圈，珍惜自己的生命，也尊重別人的生命。

死囚的告白

歹路不可行

台灣近年來發生不少刑案，尤其是在一九九六至九七年間的彭婉如、劉邦友及白曉燕三大刑案，整個社會被攪得天翻地覆、人心惶惶。

所幸白案已偵破，尚能告慰死者在天之靈，但彭、劉兩案一天未破，人心則一天難安。

我在監獄從事教化工作多年，願藉三名死囚的告白，來打動犯罪邊緣人的心，奉勸千萬不要一錯再錯，要以他們為鑑，懸崖勒馬，畢竟，「法網恢恢，疏而不漏」。

怨不得任何人

溫錦隆是一名警察，一九八九年四月四日於台北監獄刑場執行槍決，他涉嫌參與強盜集團，殺人越貨。案發時，他一度想以死求解脫。落網之後，羈押於台北看守所期間，我常去探視他，每一次見面，「人未到，聲先到」，走廊遠處即傳來鋃鋃鐺鐺的腳鐐聲，有時聽起來怪恐怖的。

溫錦隆坦承犯錯，道出心中的悔意，他說：「我雖未親手殺人，但我曾給我高中同學林宗誠他們一些子彈，我要為這所帶來的傷害，向被害人道歉、認罪，我願承擔一切因我而滋生的錯，我對不起這個社會，更對不起從我十五歲就守寡的母親，會有今天的下場，我怨不得任何人。」

他不但勇於認錯，也願成為別人的借鑑，在遺書裡，他寫道：「希望別人不要學我，要好好做人，千萬不要以身試法，與惡人行惡，製造社會問題。」行刑後，溫錦隆捐出一對眼角膜，使兩人復明。

害人終究害己

李德善是「殺人魔王」吳新華犯罪集團裡，最後被槍決的一位。他從小在眷村長大，因左鄰右舍的孩子常找他玩，不久他就與吳新華三兄弟等人混在一起。李德善因年紀較輕，判斷力弱，常被唆使參與行竊把風的不法勾當。一九八三年，李德善以慣竊名義被送往管訓隊，後因涉及吳新華強盜殺人案被判處死刑。

當李德善看到吳新華三兄弟一一被拉出去槍斃時，心中極為恐懼，他試過許多方法想解脫心靈的枷鎖，但死亡的陰影仍揮之不去。剛好那年聖誕節，一位悔改的死囚在舍房裡舉辦「聖誕午會」，小小三坪不到的牢籠，擠滿一二十位重刑犯，個個聚精會神聆聽這位「黑道變傳道」的大哥敘述悔改信基督的經歷。

當講到「黑道是條不歸路，浪子應該回頭，不要再執迷不誤」時，在座的，不論過去如何刁蠻，心靈都受責備，多人痛哭流涕。李德善當時也在場，感動之餘，內心深處被愛的福音所融化，火爆脾氣從此改善許多。

槍決前幾日，我陪著他唱詩禱告時，他暗暗地淌下幾滴眼淚。當家人去看他最後一面，兩位姊姊與他相擁痛哭時，李德善道出心中的悔意，他說：「姊姊，我錯了，但我已經悔改，請不要為我傷心。我擔心的是幼子將來步我後塵，請一定要把我那本聖經送給他。」

他也要我找機會轉告社會大眾：「不要貪財，貪財是萬惡之根；也不要耍詐，害人終究害自己。」他甚至還請我一定要告誡一位甫出獄的難友：「不要聽從惡人的計謀，不要再誤蹈法網，再踏錯就沒命。」言下之意就是勸友人好好做人，安分守己，否則沒有好下場。

只求你們原諒

湯銘雄是位計程車司機，因個性偏激，又因婚姻失敗，常藉酒澆愁。每天早晨起床，他就以酒當水喝，以致如行屍走肉，活得了無尊嚴。

一九九二年十一月，湯銘雄酒醉後，在「台北神話ＫＴＶ」與人爭吵，憤而回家扛了瓦斯筒去縱火，沒想到一場大火奪走了十六條人命。被捕之後，由於心理壓力過重，他常午夜夢醒驚叫、冒冷汗，在良心不停譴責下，湯銘雄自認死者陰魂不散，回來索命，於是試圖上吊自殺，但屢試屢敗。

正在生死交戰之際，一封來自死者家屬杜花明的信，救活了他。杜在信裡說，他們一家人願饒恕他，只希望他真心悔改，勇於面對法律的制裁。

從此，湯銘雄的生命開始有了轉機，他不再自暴自棄，除勤於參加獄中「更生團契」的聚會外，他也寫信向十六位被害人的家屬道歉，他說：「我因酒醉後的魯莽行為，傷害了你親愛的家人寶貴的生命，這幾年我飽受良心譴責，終日惶惶不寧，我無法彌補我對你們全家所造成的椎心之痛，我內心有無盡的難過，我懺罪……請求你們原諒。」

一九九七年七月二十一日，當湯銘雄從舍房裡被帶出來走向刑場前，他特別與我們一起唱詩禱告，之後他囑咐我一定要轉告世人：「不要酗酒，酒能使人放蕩，誤人一生，毀掉前程。」槍決後，他身上可用的器官使十多人受惠。

常聞道「人之將死，其言也善」，但悔改向善，何必等到人生的終點？應當及早醒悟，珍惜生命，多尊重別人，並遠離惡事。

愛那不可愛的

享受真自由

窮凶惡極的殺人犯，是否藉基督教的受洗，在死前，買張通往天國的門票？還是如各各他山上的垂死強盜，蒙被釘十架的耶穌，洗淨罪孽。

每當翻閱聖經，讀到「主的靈在我身上……差遣我報告被擄的得釋放……受壓制的得自由。」就想起整個世界猶如一座大監牢；人好像囚犯，被罪壓傷，被惡者擄掠，心靈得不到自由。一直要等到聖靈內住，人才得從捆綁中掙脫，享受真自由。

然而，人間監獄畢竟不同於有形的監獄，真正的人犯身心靈所受的苦楚，遠超過常人。我從事監所教化多年，深覺圍牆外的「罪人」固然需要福音，圍牆內的「罪犯」，更是需要福音。

祂在曠野裡開道路

在獄中，福音的種子撒出後，經過一段時期耕耘，是有收割的機會。每隔一陣子，我們的同工、義工都會在各地為悔改的受刑人施浸。每一次浸禮，我都會邀請教會牧者參與。

有一回，受浸的人當中有位年輕人，曾去過教會，但國中畢業到外地就學，因貪玩常與一群學生打電玩，後來涉及結夥搶劫，被判處十二年徒刑。我們認得他以後，每週帶他讀經、禱告，半年後，他悔罪，願意接受洗禮。受浸那天，我邀請他國中時代的牧師來觀禮，當牧師緊靠在他身邊，拉著他的手一起在長板登上唱詩讚美神時，我看到一幅很美的圖畫，好像主耶穌尋找到一隻迷失的羊，歡歡喜喜把他扛在肩上、抱在懷裡。那感覺真溫馨。

這位弟兄服刑四年，假釋出獄。如今工作正常，也結了婚，神很恩待他，讓他在福音機構學習事奉。

我也輔導過百餘名死刑犯，有些臨終前，願意悔改；有些到最後關頭，仍然心硬，這兩極化的反應，與主耶穌當年釘十架時，旁邊兩個強盜的表現雷同。不過，當年的主怎樣慈仁，祂今天依然慈仁；祂是昨日、今日、永不改變的主。人再怎麼兇惡，主仍然肯因人的悔改，接納饒恕。那種體諒罪人的痛苦、長闊高深的愛，憐憫人的心腸，真是世人無人能比。

目前台灣監獄中仍有五萬個人犯，他們有的從小失去父母之愛，有的長久受暴力、功利社會的歪風吹襲，價值觀大大扭曲，從另個角度看，他們也是「受害者」。既然父母離棄的，祂要收留；彎曲的，祂要修直；曠野祂要開道路，我們就相信，主還要透過眾人的禱告與付出，伸出聖手，救拔罪人。

行出來由不得我

我剛從美國回來時，深怕只懂犯罪學理，卻缺乏實務經驗，影響福音實效。因此，找到機會進入少年觀護所，與百多位少年虞犯相處一天一夜，相處一久，愈了解他們；大部分少年犯來自問題家庭，特別是雙親離異，孩子受害最深。小孩子本無辜，若是大家能多重視家庭和諧，社會就能減少許多犯罪。

幾年前，法務部剛成立小木屋式的「國家戒毒村」，我參與其中，和煙毒犯朝夕相處三個月之久，體會聖經所說——「立志為善由得我，只是行出來由不得我」這句話實在是永恆真理。犯罪的人背後確有一股勢力（律）在催逼，尤其是煙毒犯，想戒，卻一直戒不了。所以保羅才說：「我真是苦啊！誰能救我……。」

但保羅也提出一個萬全的方法，「靠著主耶穌基督就能脫離了」。事實也是如此，儘管惡勢力猖狂，破壞家庭、擾亂社會秩序，把人推進犯罪漩渦，使人受折磨、心靈被捆綁，然而「神的兒子（耶穌）顯現出來，為要除滅魔鬼的作為」，人犯只要真心悔改，出獄後繼續接受如「中途之家」的輔導，堅心依靠主，過正常的教會生活，生命必能再造，人性一定得以翻新。

一切還是出於祂

我在監所輔導人犯的原則是「有教無類」，主耶穌接納每一個罪人，祂說：「到祂面前來的，祂一個也不撇棄」。我也不管誰是「十惡不赦」、「下九流」的，我受的託付是：只要是「人」，都要傳福音給他們，因為主也曾替他們釘十字架捨身流血，主的心乃願人人都悔改，不願有一人沉淪。我是抱著一顆基督愛罪人的心，入獄輔導陳進興。

據我所了解，陳進興是相當「監獄化」（prisonization）的人；也就是說，他三次坐牢，關了十七年，長久在監，已經定型，難以改變。這次他犯下這麼多大案子，若不是先有新竹大矽谷媽媽禱告小組登廣告呼籲他回頭，後有被挾持的南非武官一家人饒恕他，再加上許許多多基督徒為他禱告，恐怕他的心田無法融化。一切似乎出於神的憐憫與恩慈，陳進興確實對福音有積極的反應。

監所的圍牆高，教化難度也高，先知耶利米說過：「古實人豈能改變皮膚呢？豹豈能改變斑點呢？若能，你們這習慣行惡的，便能行善了。」

真的，再有經驗的傳道人也無能改變人性，人的自主性很強，是難以改變的，若能改變，全是神的工作。因此，服事愈久，我們看得愈清楚，原來我們只是器皿，「祂要憐憫誰，就憐憫誰」，一切還是出於祂，我們只要善盡責任，盡心傳播主愛就是。

《真愛》的啓示

動刀的必死於刀下

南非武官卓懋祺這本《真愛》，談的就是「饒恕」的大愛。饒恕不是易事，但值得一試。

饒恕不是向仇敵示弱，也不是為對方的罪行找藉口；饒恕是一股暖流，能遮蓋過錯，化解冤仇。

一九九七年，陳進興、高天明、林春生三人綁架白曉燕勒贖不成後，成了亡命之徒，四處流竄犯案。全臺灣頓時陷入空前絕後的浩劫。

三名從「綠島大寨」「深造」出來的難友，原以為「技術本位」，犯案「天衣無縫」，那想到聰明過頭，自作自受。「多行不義必自斃」這話一點沒錯，法網恢恢，最後三位都栽了一個大跟斗，一個接一個，命都賠上。

奉勸所有入過獄的大哥小弟，別再玩「賭命」遊戲，「動刀的必死於刀下，動槍的必死於槍下」，別再以身試法，自欺欺人，上帝是輕慢不得的，人種的是什麼，收的也是什麼。

他還是會看的

當陳進興挾持武官一家人的前一天，一群新竹大矽谷禱告小組的媽媽們刊登大報頭版半版的廣告，呼籲陳進興、高天明悔改（林春生前遭圍捕已自裁身亡）。高天明看到廣告，但沒有悔改。當天晚上在指壓中心，被發現而飲彈自盡。

陷入窮途末路的陳進興只好使出最後的招術，以挾持外國人，提出訴求，碰碰運氣。

其實，陳進興原計畫挾持武官的鄰居，早已勘察過地形，掌握動靜。那知十一月十八日晚潛入該宅時，無人在家（出國旅遊）。他像洩了氣的皮球，想「打道回府」，但又不知「府」在何處。深怕一下山，被警察發現一槍斃命，於是一不做，二不休，試試隔壁也好。

時間操縱在上帝的手中，卓懋祺平日都會遲歸，那一天卻格外準時。陳進興見「使」字牌車輛駛進車庫，心中大悅，便越過圍牆，爬進窗戶，用槍頂住小女兒克莉斯汀，再把家中成員一一捆綁起來，展開二十五小時警匪對峙的壯烈序幕。

《真愛》這一本書對於警匪槍戰過程著墨不少，閱讀時，難免為他們一家人處在「死蔭幽谷」中，能九死一生而捏一把冷汗。

上帝很照顧武官一家，也是他們「吉人天相」。在警察準備攻堅，生命受到威脅時，全家靠著禱告，支取上帝所賜的力量，不但化險為夷，也藉著寬恕惡人，為耶穌基督的「真愛」做了一場美好的見證。

挾持當晚，陳進興深恐警察闖進被擊斃，曾舉槍對著自己的喉嚨，以待萬一時，好「一了百了」。當時武官的太太安妮見狀，驚呼「NO！」令陳進興頗受感動。（他覺得奇怪，怎麼說NO，應該YES才對啊！）

後來克莉斯汀畫愛心圖及十字架向陳進興傳福音，也讓他心動，事件落幕時，陳走出武官家大門前，安妮擁抱他，說：「不論發生什麼事，請記住，上帝愛你。」陳進興說他很感動。

一家人要回南非前，透過安排，特地到法院去看陳進興，並送他一本小本新舊約聖經，當時法官還對武官說：「不必了，他不會看的。」始料未及的是，那本聖經一直陪伴著陳進興到槍決的那夜，這從他在聖經詩篇二十七章那頁註明「1999、10、6晚」（處決夜）看得一目瞭然。

有愛的孩子不會變壞

我入監教化十幾年，輔導過無數重刑犯，陳進興能悔改歸信耶穌有兩大原因：其一是許多基督徒的代禱。在三人犯案時，很多人不停地為國家社會的安寧代求。挾持當夜，全國電視全程轉播，無數人更迫切為武官一家人的安危及陳進興的靈魂禱告。陳在槍決前告訴我：「若不是很多基督徒為我這個罪人禱告，我早就在罪中滅絕了。」他甚至引用聖經背給我聽「義人祈禱所發的力量是大有功效的。」

第二道力量是基督徒所流露出來的愛心。尤其是武官一家人對他的接納與寬恕。除了克莉斯汀的十字架圖案，安妮的擁抱及武官贈送聖經，他們回國後，多次寫信鼓勵陳進興，並派人到看守所探視。無止息的愛讓陳進興在二審重判他妻子及妻舅，一時氣憤不平，對著媒體演出「割頸」秀，抗議司法不公時，一封武官一家人及時寄到的信函，贏得陳進興人生首次嚎啕痛哭。

從那時起，陳進興像隻馴良的羔羊，完全屈服，不再掙扎，性情也跟以前兩樣。前自以為聰明，後自覺愚昧；前不斷為家人抗爭，後完全交託；前拒絕再看聖經及捐贈器官，最後捐出身上一切。

世人憎惡他，我們能瞭解，他傷害許多無辜，司法也予以最嚴厲的處罰，然而被害人身心的創傷並非就此了結，他們仍需要我們持恆的關懷。盼望武官的「真愛」，能幫助受害者心靈早日獲得復甦，並藉著愛的力量，舉起下垂的手，發痠的腿，揮別陰霾，迎向朝陽。

更生團契二十餘年來致力關懷受刑人，深知一個罪人悔改，對社會及家庭有正面的意義。然而有些人仍執迷不悟，一錯再錯，令誰都難以接受。像陳進興這號人物，闖過三次，先後在獄中十七年，原已「病入膏肓」無藥可救，只因上述那兩大力量，他成了一個「蒙恩的罪人」。基督的信仰中心是愛，愛能療傷止痛，確實能使人改過自新，洗心革面，重新做人。

整個陳進興案是悲劇，這個悲劇裡沒有英雄，只有受害人。悲劇若有什麼啟示，這個啟示就是要及早「預防犯罪」，讓下一個陳進興不再出現，也不再有白曉燕這樣無辜的人白白受害。

或許《真愛：南非武官VS.陳進興的故事》（文經社出版）這本書能給你一些啟示與祝福，叫你更愛自己，愛家庭、愛別人，也尊重別人生命的主權。這樣我們的社會一定會更祥和，加害人與受害人會減少很多。

Part 3 祝福滿滿的生活

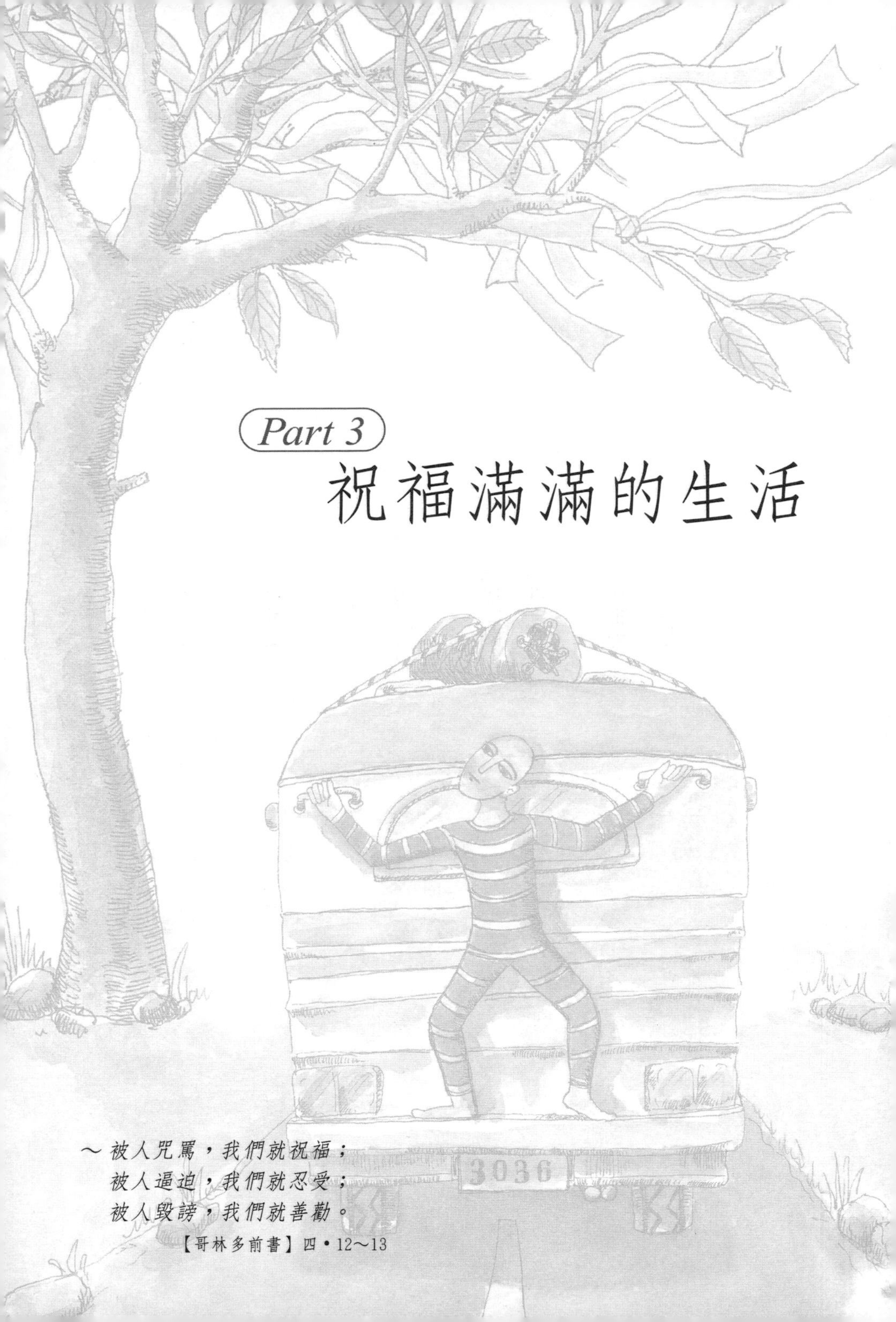

～被人咒罵，我們就祝福；
被人逼迫，我們就忍受；
被人毀謗，我們就善勸。

【哥林多前書】四・12～13

茄苳樹下的愛

明天再來好不好？

景物依稀，記憶卻仍新鮮，似乎只是昨日，但已經事隔三十多年。

那一年我剛進初中，生長在彰化鄉下，小村莊裡還沒有教會。有一天，鄰近溪湖鎮的教會差一位梁先生來暑期佈道。

他長得高高瘦瘦的，雖然只有一個眼睛能看見，但極為熱忱、喜樂。他手上拿著鈴鼓，邊走邊敲、邊敲邊唱著：「來信耶穌，來信耶穌，來信耶穌現在……。」我們幾個小蘿蔔頭看到他覺得很好笑，也覺得很好玩，反正沒事，就嘻嘻哈哈地跟在他的後面走到一棵大茄苳樹下。

十多個孩子圍著他，看他要耍什麼把戲，嘿！他教我們唱歌，又講耶穌的故事，還發給我們精緻漂亮的外國聖誕卡，不但如此，還有糖果吃。我們高興極了，覺得有如福從天降。

散去前，他問我們：「明天再來好不好？」我們當然異口同聲說：「好！」就這樣，神的慈愛，藉著一個肯付出的人臨到我這赤著雙腳、穿皺卡其衣服、單純的鄉下小孩。

茄苳樹下蓋教堂

暑假過了，梁先生租到一間屋子，我們就搬到裡面上課。梁先生也請李美玉教士來帶領我們上主日學，我的學習也漸漸增多。第二年夏天，我和教會三、四個青年去參加夏令營，受感動回來之後，我的心靈較開，能開口禱告，靈裡對主也有進一步的渴慕。

教會租的地方雖然不大，卻也夠三十人聚會。母會請熱心的黃執事去物色一塊地蓋教堂，真奇妙！別的地方他不選，主偏偏感動他選上那棵茄苳樹對面的空地，蓋了一座小教堂。教堂的正門朝向馬路，一眼望去，就能看見那株高大、綠蔭蔽天的百年茄苳老樹。

新堂兩旁的空地仍多，左側栽了不少木瓜樹，我們青年團契週年晚上聚會完後，不但有點心吃，還有木瓜助消化。禮拜天，溪湖的蔡月碧老師也會搭車或騎單車過來幫助我們。有一年聖誕節演話劇，她叫我演摩西，拿了教堂的草綠色桌巾披在我肩上時，我看極為滑稽，她卻以為美。

那一次的晚會，人擠滿了教堂，我們團契裡一位小個子彩珠姊妹唱作俱佳，因為演得太逼真，結果台下許多婦女都陪著她一掬辛酸淚。

生兩次死一次

青年團契雖然風光一時，但靈性根基不穩，我一直到聽了傳道人說：「生一次死兩次，生兩次死一次」，把這句話寫在日記仔細推敲後，才慢慢體會原來信仰不是只有唱唱歌、參加活動而已，對永生和永死這個嚴肅的問題，應該有個智慧的抉擇。

明白「生兩次」就是「重生」的意思，受聖靈感動，我就在神面前悔改認罪，並求耶穌用祂的寶血洗淨我的污穢，打開心門接受主耶穌進入我心中後，我對屬靈的事從此更為認真。直到十年後，當年那位叫我演摩西的蔡老師，看我對信仰專注，就很放心地把她女兒許馨潔嫁給我為妻。

回想高三那年，為了應付聯考，我從家裡搬到教堂與王倚牧師同住，他當時已七、八十歲，從別的教會退休，我們小教會沒有牧者，就請他來協助。他長得像英國紳士，有一頭白髮，是台灣初代長老會極敬虔的傳道人；每天早上五、六點，他叫醒我，帶我靈修後，我再去學校上課。

我和他同住了兩個學期，參加聯考前夕，這位一生事奉神的老僕人為我按手禱告，感謝主，神的祝福藉著他臨到我的身上，祂使我考上師範大學，又考上中央警官學校。

依然挺拔的茄苳樹

離開家鄉到台北，選擇就讀警官學校後，第一個學期結束前，我在學校附近的艋舺教會受洗歸入主基督的名下，從聽道到洗禮雖然隔了好幾年，過程卻仍充滿神的恩典。慈愛的神愛我、揀選我，藉著一位單眼的福音使者，把主耶穌介紹給我，又安排祂的僕人、使女來帶領我，使我更認識耶穌。

那棵大茄苳樹至今依然挺拔，我的信心也因服事主而逐日加增，更寶貴的是，王老牧師當年為我的禱告，到如今，我每天都可以經歷到神豐盛的祝福。

我們都是天使

異鄉聖誕不寂寞

七〇年代剛抵美國讀書時，新生入學講習的那一天，「國際學生中心」為我們外國來的留學生各找了一個「接待家庭」。在此，我度過生平第一次在國外的聖誕節。

我和他們全家大小團團坐，一起吃火雞大餐，也收了不少聖誕禮物。男主人送我刮鬍刀（要我先刮自己的鬍子吧！）女主人送我幾本美國國家公園畫冊；受那幾本畫冊的吸引，每當學校放長假，我都會找幾個台灣同鄉按圖索驥，遊山玩水去。

因著指導教授的特別關愛，第二年聖誕，我又多了一個去處，教授的媽媽年紀大，但善體人意，除了會燒一手好菜，也會做各式各樣的甜點。聖誕大餐後，她都會包一些自製的餅乾給我帶回去宿舍與人分享；她知道我最喜歡吃的是那種滾糖粉、略帶酒香的「波旁球」（Bourbon Ball），每一次都特別為我多包幾個回去解饞。

畢業後，我在美國工作十幾年，還是年年到教授家過聖誕。生兒育女後，仍會把全家都帶過去熱鬧團聚，直到老媽媽八十幾歲過世，教授搬了家為止。

除了接待家庭和教授家，我在學校打工的經理也曾邀我去他們家圍爐過一次。那一夜的印象，畢生難忘，眼看著桌面上滿布佳肴，我未動手已動心。男主人發給每人三顆玉米，照輪流，每次拿出一粒，就說一件感恩的事。繞三圈說三件感恩；對我這莘莘學子，蒙受如此多「天使」的眷愛，要說五件也不難。

施比受有福

受慣別人善待的日子久了，想起「施比受更有福」，我就覺得應該學習付出。有一年快到聖誕時節，妻看電視，節目中主持人末了發出一個挑戰說：「往年，你們都請認識的人吃飯，今年要特別一點，請一個你們不認識的人到家裡過聖誕。」

妻聽了覺得不可思議，「怎麼可能？」不認識的人那麼多，阿貓阿狗誰敢亂請？不過主持人說的也有道理，愛心總不能只給認識的幾個，度量總要擴充像「老吾老以及人之老，幼吾幼以及人之幼」才對。不過，又有誰敢到馬路上去……「拉客」？妻一時無解，暫且把這事擱下。

隔沒幾天，我辦公室的社工員跑來問：「你們教會有誰家裡有空房？這裡有台灣來的一家人，去賭城辦結婚後，路過此地出車禍，其中兩位很嚴重。另兩個較輕微，想就近照顧；但醫院的招待所已不能再住，旅館又貴，你看有誰能幫忙？」下班後，我跟太太談及此事，她正為前天主持人下的「戰帖」而徬徨，聽我這麼一說，喜出望外，衝口就說：「就接他們來住啊！」

第二天，一對母女就住進我們家；受傷較重的新婚夫婦，女的在醫院一躺就是四個月，那對母女為了照顧方便，在我們家進進出出也有四個月。教會的人知道他們是鄉親，紛紛到醫院探視，送花、帶書、唱歌、煮吃的，自不在話下，總而言之，就是像扮演「愛心天使」，把「彼此相愛」、「愛人如己」的聖經教訓給活學活用出來了。

四個月後，新娘子出院時，就跟著住我們家的她的小姑，一起走進教會，受洗成為基督徒。事到如今已逾十二寒暑，車禍的那家人及他們許多親友，都成了我們的好朋友。

寒冬添暖意

「爸爸，你請人送來的禮物，我已經收到，謝謝你，我好喜歡！」這是一個受刑人的小孩在聖誕卡上寫給他父親的幾個字。

自前年起，「更生團契」每年在聖誕節前，都會舉辦「天使樹」送愛心活動，由參與者代替受刑人，贈送一份小禮物給受刑人家裡未成年的孩子。這項活動在受刑人及其家屬間，搭起了一座諒解的橋樑，幫助他們療傷止痛。頭一年的活動有兩千個小孩受惠；第二年三千；第三年則更多，四千。

當受刑人得知小孩收到禮物很高興時，他們自己也是百感交集。一位獄中人就寫說：「十幾年來我不相信有『雪中送炭』的事，而你們讓我重新感受到人性善良的一面，在這寒冬臘月裡，令我感到絲絲的暖意。」

而當我們看到孩子收到禮物綻放笑容或流淚，甚或抱著禮物睡覺時，心中都覺得好安慰。有個多年被丈夫惡待的妻子，原來想放棄坐牢的丈夫，就因孩子收到禮物後變得較聽話，心開始軟化，而願意去探監，再給丈夫一個機會。

區區一件三百塊錢的禮物，帶給受刑人家屬一份新希望，間接地也給社會帶來一份祥和，何樂不為呢？

都是習慣惹的禍

亂丟千萬別成自然

有些習慣養成後，稍不留心，是會惹禍的。

幾年前我搭計程車，常會看到司機對著窗外吐痰，有些更厲害，會吐出檳榔汁。據說不知情的外國人看見，還以為運將拚到吐血，要錢不要命。

這些年景氣不佳，司機反而變得較斯文，難得再見到他們亂吐東西，倒是馬路上，仍然是——到處菸蒂和紙屑。

有一回我走在巷子裡，剛好就緊跟著一個男士的後面，他邊走邊喝養樂多，喝完，看也不看我一眼，空瓶子很「自然地」就往左邊一丟。我當時從美國回台不久，看得很不服氣，但未來得及想辦法勸他，又見他把喝完的另一瓶往右邊一甩。頓時，我火冒三丈，很想撿起空瓶還給他，並順便訓他幾句，然而心裡卻冒出幾句話攔阻了我：

「唉，叫什麼！這裡又不是新加坡，亂丟垃圾又沒人在罰錢；他旁若無人，丟得很自然，因為習慣本來就成自然嘛！」既是如此，我只怪自己尚未「入境隨俗」。

別當「垃圾蟲」

我很感謝當年的警官學校校長梅可望先生，他有一次來我們學生宿舍巡視，看到十六個人住的大寢室裡，垃圾桶旁竟有幾塊碎橘子皮，於是破口大罵，說什麼連橘子皮都丟不好，將來怎麼當警官；又什麼裡外不分，沒有原則，人格掃地等等。

當時我們覺得一個掛著三線四星的警官校長，何必如此小題大作？芝麻蒜「皮」事又不會死人。但現在想起來，他實在罵得對。如果沒有那麼一罵，恐怕我今天還不會把亂丟垃圾看成人格上的缺失。從那時起，我就沒有再亂丟垃圾。

我去新加坡時，特別想見識一下有誰隨便在丟垃圾，結果卻看到環保單位在公園處罰一批「垃圾蟲」當街掃地。當局認為把這些亂丟垃圾的人冠上「垃圾蟲」的臭名，再加以「斯文掃地」的懲罰後，他們應該就會收斂。

我看台灣免了，臉皮厚的人根本不怕罰，治本的方法是從家庭教育開始，只要每個家長好好督促自己的孩子，自己不隨便下班後就亂丟鞋子、襪子，有教導，本身又有好榜樣，上行下效，生活教育扎根，潛移默化的結果，台灣的街道要像新加坡般的乾淨，不是不可能的。

惡習不改害死人

亂丟垃圾的習慣應該改，有些習慣養成後，稍不留心，也會惹禍的。幾年前有一次空難，據說就是由於機長的習慣造成的。情形是，每當飛機起飛後，機長都會習慣性地右轉，原因無他，只因機場的地形是左邊傍山，右邊靠海。

但每年有個季節，風向轉變，所以起飛的方向也得轉變。那次的起飛剛好就是那個季節，機長是從另一頭起飛沒錯，然而飛機一凌空，他卻「習慣性」地向右轉。這一轉不得了，才幾秒鐘工夫，一座龐然大物就在眼前。當機長發現情形不對時，想轉彎，無出路；想拉高，又已太遲，於是「轟隆」一聲，像丟炸彈一樣，一時火光沖天，人機全毀。事後檢討起來，都是「習慣」惹的禍。

我在國外開車有十七年，很少看到驚險鏡頭。在台灣，開車的人習慣在換車道時不轉頭，死角既沒看到，所以險象叢生，常出車禍。有時候，我看到車子一下子從前面的保險桿處切進來，嚇得我直冒冷汗；有時候看到貨櫃車，緊緊地挨著小轎車的屁股猛按喇叭、閃遠燈，人家不讓，他就狠狠地擠進隔壁條線，也嚇得在旁邊的我擔心會不會出連環車禍。

司機習慣性爭先恐後，到底與台灣地窄人多，要搶先一步才有飯吃？還是因為缺乏交通教育，或人格修養不夠有關？我沒研究，但我知道這種壞習慣不改，橫衝直闖下去的結局，只是提前做餓死鬼，製造更多人間災難而已。

還記得四十年前搭火車，當時沒有對號入座，火車才進站，尚未停穩，大家馬上你推我擠，爭先恐後。現在鐵路有對號，壞習慣改了，可是馬路上，車子爭道的情形依舊，且變本加厲，我看這惡習不改，砂石車壓死人的事故，仍會屢出不窮。

送禮只准「上對下」

我現在的年齡正處於兒女要嫁娶，雙親老邁的人生階段。過去的大學同學不少，彼此常有來往，紅白帖幾乎月月有。以公務人員的薪水來看，如果一個月有兩張紅白帖，為了人情世故，薪水恐怕不夠養家。所以這種到處發帖子的習慣也得改，否則薪水階級，為了應付帖子，可能會去出賣人格，舞弊貪汙。

另外，過年過節送禮給上司更是惡習。雖然政府近年來有禁令，但說者說，做者做，考績攸關升遷，屬下不送禮給長官於心不安。

要徹底改變這種壞習俗的方法是，上對下「先下手為強」——由上司送禮給屬下。像我以前在美國公家機關或私人銀行上班很愉快，一點都沒有這種壓力。過年過節是老闆自己掏腰包請客或買禮物相送。既然長官施恩，做屬下的知恩圖報，無一不是加倍努力，想以更好的成績來答謝長官。自己沒本事，又不認真，想以送禮求好處，這種屬下就太窩囊，不能用。大家努力，憑實力來競爭，公務員的素質與行政效率就能大大提升。

其他的壞習慣，像賭博、抽菸、嚼檳榔、工程拿回扣等。我看也應及早一一改掉，個人及國家社會才會有個清新的形象。

滿載祝福的「運將」

少生病就多賺錢

朋友十八年的運將生涯裡，在計程車上面對形形色色的鮮事，他深深樂在其中。他開計程車十八年，很辛苦，但他生性開朗，人生觀豁達。偶爾見面會和我聊到載客的點點滴滴，妙趣橫生，令人莞爾。

他是基督徒，對穿牧師袍的一律免費服務，因他知道牧師領的薪水不多。另外，穿新娘禮服的，他為了沾點喜氣，也不收錢。我說：「這樣還能賺錢嗎？」他說：「喜樂的心乃是良藥，少生病就可以多賺錢。」

不收費若出於心甘情願，沒話說，有些乘客身上真的都沒有錢，他也無可奈何。就有一回，乘客要下車前說了一句：「司機，我要謝謝你。」

他答：「那裡話，我做生意賺你的錢，應該是我謝你才對。」對方接口說：「我沒有錢！」「……」

這位朋友曾在火車站前排班，那天他排第五順位。有一位客人走向第一輛車，司機要價兩百五十元，那人不坐，跑到第二輛，司機說：「我不順路。」

第三輛說：「前面不載，我也不載。」他只好走到第四輛，但司機卻索價五百。客人一時火大，跑進去找警察，警察一出來，四輛車一溜煙跑了。輪到他，他照表跳，雖是短程，但那一天的「薄利多銷」，收入反而多。

裝聾作啞帶笑看

有一家三口人上了車就彼此對罵，太太罵丈夫，丈夫吼兒子，咒罵來咒罵去，旁若無人。既然「清官難斷家務事」，他只好裝啞巴，又裝聾子，盡量忍受。

有一次，一女乘客上車沒多久便問：「那裡有樹？」他反問：「樹做什麼？」「尿急！」

他想，人又不是狗，尿尿為什麼要棵樹？後來明白了。女生嘛，總要找個地方躲。

又有一次，一對夫妻上了車，女的坐著，男的臉朝後，跪在位子上。我這位運將朋友心裡很不是味道，覺得這位太太也未免太過分，在家中罰丈夫跪算盤也就算了，在外面也不放過？

「到了沒？到了沒？」丈夫一直問：「還沒，還沒，別急！」太太答。

幾分鐘後，太太很高興地說：「到了！」

車子就正好停在「痔瘡專科診所」前，朋友這才恍然大悟。

惡客臨門無奈多

有個乘客一共要求他停過三次車，每次都說：「我進去就出來。」第一次他進去便利商店，買了東西，果然出來；第二次進入女裝店，沒多久也出來，第三次進去火車站後，就一去不復返。

被騙的感覺並不好受，有幾次乘客說進去拿錢就出來，大半都有去無回。遇到這種情形，通常他會等個十分鐘，十分鐘不來，他走了。耗時間等錢，不如做生意去。

有一次他載到一名醉漢，目的地到達時，乘客熟睡叫不醒，他只好把人載到派出所。警員過來拍拍醉漢的臉龐，叫他：「起來，起來，我是警察！」

醉漢看有人擾他清夢，火了，「去你的什麼警察！我是局長。」說著一腳踹了過去。

警察鬥不過他，只好架他下車，收容在拘留所過夜。

聽完了他的趣事，我問他：「有沒有被搶過？」

「還沒有。」

他真幸運，但我叮嚀他要小心，萬一碰到吸安的，或看起來精神有異狀的，要搶就給他，別硬碰硬，反抗有喪命的危險。

我在獄中曾輔導過幾個殺人犯，就是因吸了安非他命後，在喪失理智下，見司機還手，野性大發而出手殺人。

當然，我沒有姑息養奸的意思，但想一想，生命跟金錢那個重要，天網恢恢，那些亡命之徒遲早會落網的。

開計程車辛苦，也有危險，朋友卻覺得樂趣無窮。

在美國我開過五十人座的大巴士，聽他一席話，也想去開一天計程車嘗嘗滋味，但沒有營業執照，還是聽聽朋友載客的鮮事趣聞，也是挺有意思的。

人生有夢書鋪路

苦K英文以圓夢

警察大學畢業後，我認真讀英文，從留學考到托福考，過關斬將，終於在二十七歲那年，實現了出國的美夢，也才知讀書的好。

我念初中時，地理老師鼓勵學生集郵，他說郵票上有各國風光，令人神馳，將來還可以登門一遊。從那時起，年幼的我，已在編織綺麗的出國夢。

警察大學畢業後，我認真讀英文，從留學考到托福考，過關斬將，終於在二十七歲那年，實現了美夢。

那時教育部每年都辦留學生講習，依稀記得曾在金山青年活動中心與一群準留學生一起上課，學國際禮儀，聽演講及前輩的留學經驗。

出國那天，在機場服務的同學，好意幫我畫位在日航空姐的身邊。第一次出遠門，心中掛念的事多，那有心情欣賞東瀛美女。

在飛機上認得一位男生，也去同一間大學，他姊夫是牧師，會來接機。我心想，如果牧師肯順便載我一程，豈不更好。

見了面後，牧師表示歡迎，來接我的領事館人員更高興，從那時起，牧師就成了我的良師益友。

帶去的保證金兩千美元，繳納頭一學期的費用，差不多只剩一半。幸好在校園找到工讀的機會，才不至於捉襟見肘。

系主任對我很好，他來台參觀過警察大學，印象深刻；也因為是他極力推薦，我才決定來的。指導教授善待我，看我下課後形單影隻，冒著寒風走回宿舍，心生憐憫，每年都邀我去他家過聖誕節。

將自己獻給神

半年後，新婚妻子來團圓，幾個月後，我們搬去住在一對馴馬師家裡，我幫忙修剪花草，妻照料他們三個小孩，以工作換取零用金及膳宿。同住半年之久，我們學會美國人的習俗，也適應了美式生活。

當時台灣去的留學生七、八位，周末常聚在一起聊天解愁。寒暑假，我常開車帶著他們，遠征氣勢萬千的大峽谷、景色卓絕的優勝美地國家公園等地。

研究所畢業後，我足有兩年的工夫，在未拿到綠卡前，邊選課，邊遊學，帶著妻子橫掃全美各大名勝，像黃石公園、紐約自由女神及邁阿密海灘等，都有我們的足跡。親戚從台灣移民過來時，我們第二天就帶他們到中西部六大州去欣賞名山勝水。

有一次聽老岳丈說，他一生最想看的就是南達科塔州雕刻四個美國總統的地方。為了討老人家歡心，我們就帶著兩老，專程跑一趟。

後來經我那位好牧師推薦，進入神學院，也在教會配搭服事。神學結束後，我先進入銀行界任職，四年後再轉進加州政府社福局，由於工作愉快，沒有壓力，周末及夜間有很多時間參加教會的活動，這樣「帶職事奉」也有十多年。

多讀書就少犯罪

十七年的美國經驗，讓我更成長，也更了解人的需要，進一步也去學習如何幫助別人。

一晃眼回台服務也十多年了，從「更生團契」的創辦人——前典獄長陸國棟先生接下棒子後，我勤於走訪各監獄，常勸年輕的受刑人，要再好好讀點書。

最近輔導的個案中，有一位參加中原大學甄試，還考上企管系榜首，令我們很覺得欣慰。獄中人最深的嘆息是——過去沒有認真讀書。

這學年開始，我每周有機會到中小學演講，除勸勉學生小心毒品等陷阱外，也鼓勵他們繼續升學，千萬不要遇到挫折就輟學，因為據統計，入獄者約有五成是中輟生。

我們在花蓮縣就要開辦一所「少年學園」，專門收容中輟生，輔導他們就學。心中期盼他們都能努力讀完高中（職）課程，將來如能再讀大專，甚至出國進修，想必一定能改頭換面，並為國家社會做點事。

「美」好人生大不同

別跟陌生人講話

見面就擁吻，對著長輩直呼名字……各地有各地的文化，雖然看著教人眼花撩亂，然而身為地球村的一分子，不妨多體會。

剛回國時，我幾乎像老美一樣，見了人都會「嗨」一聲。有的看我打招呼，會笑一笑，但不會「嗨」回來，有的則面無表情。

有一回一個國中生下公車後，和我走在同一條巷子，她背了兩個書包，看起來很重，我「心生憐憫」，轉過頭對她說：

「很重喔！」

她不發一語，腳步加快。

走了幾步路，我想告訴她我也住在附近，於是開口：

「妳也住附……」話未講完，她已健步如飛而去。

我不怪她，家人一定早就叮嚀過她：

「千萬別跟陌生人講話。」

別叫我阿姨

女兒學會說話後，我們教她要懂得禮節，遇有誰送禮物，一定要看著人說聲「謝謝」。我們也教她對長輩要「有大有小」，所以見到人，只要我們一聲：「有沒有叫？」她馬上會「阿姨」、「叔叔」按著規矩叫大人。

偏偏住在我們家對面，一位三十幾歲第三代的華僑就不領情，女兒有一次好意喊她Auntie（阿姨），她反而正經八百地告訴我：「我不是她阿姨，以後叫我名字就好。」文化有差異，她們覺得叫名字最親暱。

而美國人開車守規矩，過馬路禮讓行人天經地義；若要轉彎，讓直線先通行，也是理所當然。台灣文化就不同，爭先恐後，誰也不讓誰的結局是「誰先搶誰先贏」。所以我初抵國門時，傻傻的以為過馬路很安全，經歷幾次驚險後，每一次出門能平安回家，都像撿了一條命一樣，心中充滿感恩。

雖然政府倡導過禮讓行人，可是活動草草收場，不能見效。若能花一年時間，全力督導，全國同步推行，或許「馬路文化」會令人耳目一新。

留給你過聖誕的

我在加州讀書時，為了賺取學費，周末曾在一家中國餐館「端盤子」打工。有一年快到聖誕節，一個客人點了一碗麵後，交給我二十美元付帳。他吃完走了，我清理餐盤時，看到桌子上留有十多美元我找還他的零錢，以為他忘了拿，因為小費不會多過於埋單的錢。

我把「失物」交給老闆「招領」，那知老闆卻面帶笑容說：「他是留給你過聖誕的！」後來證明老闆是對的，聖誕新年期間，像中國人過春節，都是「給」的季節。然而說到美國人見面擁吻那一套，我們還是不太敢領教。

我過去在美國的同事，幾乎有一半都離過婚。對於他們喜新厭舊的文化，和有些人「三年換新車，四年換新娘」的說法，我實在無法認同。

華人喜歡「少年夫妻老來伴」，老夫老妻是比較可靠，而聖經的箴言書也說：「要喜悅你幼年所娶的妻。」

「喜悅」的希伯來原意是get excited，希伯來原文的意思是要像考古學家一樣，妻子愈「骨董」，他愈有興趣。

入境多隨俗

無可否認，美國文化是欠缺穩定性，但她們背後強而有力的法律約束力，是維繫社會不至於瓦解的主因。破碎家庭雖多，但兒童保護法規定十二歲以下的兒童需有大人陪伴，就執行得很徹底。

小小一個地球，各地有各地的文化，雖然光怪陸離，卻不足為奇。

我參加多次國際性會議，光是一百多個國家的女人五顏六色的穿著，就教人眼花撩亂，遑論文化。我想只要不傷風敗俗，就讓我們「入境隨俗」，多向別人的文化長處學習吧！

大難不死，為人造福

媽媽也是救命恩人

從小到大，經過多次生死交關的意外事件，總有貴人及時相救。大難不死的我，現在更想為別人多造福。

小時候，有一次母親為了給我們冬令進補，特別燉了一鍋羊肉。或許是肉太老，還是燉得火候不夠，吃晚飯時，我吞嚥不小心，把一大塊羊肉鯁在喉嚨進退不得。剎那間，我眼前一片漆黑，從座椅上跌了下來。

母親見狀，急中生智，趕緊剝開我的口，用她又大又粗的指頭，探入我的喉內，把羊肉給勾了出來。氣管打通後，我人才告甦醒。

當時年紀還小，不知感恩，尚不明白媽媽——不但生我，還是我的救命恩人；沒有她，根本就沒有我。

獸醫處理的傷口

小學時，班上的同學幾乎都姓黃；從隔壁村莊來的兩三個同學，跟我們不同姓，常遭我們欺負。仗著人多勢眾，我們會在放學時，一離開校園，就從背後追打他們。有時一邊追，一邊拿地上的石子丟擲。

鄉下的路都是碎石子，那幾個同學眼看我們欺人太甚，也不甘示弱，從地上撿起石頭回丟過來。一時之間，雙方陷入劇烈的石頭混戰。忽然，有一顆石子擊中我的額頭，我感覺很疼痛，手一摸，全都是血。那群孩子，見有人流血，誰也顧不得誰，一個一個作鳥獸散。

我四顧無人，既孤單又害怕，勉強用手按住傷處，但血仍然流個不停。我想往回走，人卻覺得有些暈眩，只得就近在路旁一個大戶人家祖墳的草坪上躺下。

昏昏沈沈之際，突然眼簾出現父親的一位好友。他是個獸醫，常巡迴在鄉下村子裡幫助農民，剛好騎單車經過，看到有個孩子躺在墳地上，是朋友的兒子，嚇了一跳，急忙幫我止血、包紮。事後，他囑咐我千萬不要再和同學打架，而且他也不會告訴我父親，免得我被修理。

事隔多年，被獸醫醫好的傷口仍留下一塊不小的疤，每當我去少年觀護所探望，遇有比較不聽話的虞犯，都會叫他們瞧瞧我那瘡疤，告誡他們。

外公的保命偏方

長大一點，常隨媽媽往外婆家跑。外婆家種了好多果樹，後山上，龍眼樹特別多，又高又甜。我常帶著表弟一起到後山採龍眼。

有一回，我像猴子般爬樹，只見愈高、離樹幹愈遠的龍眼愈大，我垂涎欲滴，擋不住誘惑，緊抓可靠的枝子，一腳一腳地向樹梢處探步。果然摘到一些，樹下的表弟用手接住我丟下的大串龍眼都雀躍不已。我還想再向前挪步，那知樹枝突然「啪啦」一聲，從約有三層樓高的地方斷裂，我跟著樹枝一頭栽了下來。

當我再次睜開眼睛時，人已躺在外婆家的客廳內，旁邊圍著一群人，媽媽眼裡還帶著淚水，看到我醒了才鬆一口氣。

表弟後來告訴我，我掉下來時就不省人事，是他們把我抬回家後，外公用了一招偏方，叫小表弟撒了一泡尿，灌到我嘴裡，我因嗆鼻才醒了過來。

警察伯伯來幫忙

七〇年代我在美國留學期間，開的是便宜的二手金龜車。有一天，才剛衝上高速公路幾秒鐘，車子驟然故障，再怎麼踩油門均告無效。眼看車子已開進中央車道，失速時又恰好在三條公路的交會點，正在車水馬龍之際，左右車子呼嘯而過，我不禁打了個寒顫。

當時雖然緊急信號燈已開啟，我怕速度太慢，不敢輕易變換車道停到路邊。五歲的女兒見情勢不妙，急得哭了出來；妻正擔心會有車子貿然從後面，把我們的車子撞得起火燃燒時，忽然，後照鏡裡出現紅藍車燈，交織閃爍。原來警車及時趕在後頭，我心神一定，知道得救有望，便安然駕車繼續向前滑動。車子完全靜止時，剛好停在公路會合處外的路肩。

警察一下車，劈頭就說：「你真幸運，差一點沒命！」的確，若不是警察扮演臨時守護天使，恐怕我們一家人早已魂歸離恨天。

大難不死換「金牙」

離開美國回到台灣，從事「更生團契」在全國監所的教化工作。得知台南監獄新成立的戒治分監——戒毒村，在山上需要輔導員，我自告奮勇，住進村子裡與菸毒犯朝夕相處三個月。

有一次外出做禮拜，返村途中，因山路崎嶇，急轉彎一不小心，人車一起翻落谷底。當時沒戴安全帽，頭、臉被擦破十數處，鮮血直流，正怨嘆自己無知，舌頭一頂，發現一顆門牙不翼而飛。我怕失血過多，休克死在山下，勉強振作起來，一步一步爬回山上馬路。

一位歐巴桑騎機車經過，允我請求，載我回戒毒村，再由戒護人緊急送醫。縫了幾針，休息幾天，體力恢復快速，大門牙後來也裝上金屬假牙。麻煩的是，有時經過機場檢驗站，還會觸動警鈴，虛驚一場。

中國人說：「大難不死，必有後福。」自己有福，當更加珍惜生命，善加利用，多為別人造福。

留學養蜂甜蜜蜜

人蜂交戰竟「雙贏」

買來蜂箱，擎起樹枝，我試著去撩野生蜂巢，霎時，數百隻蜜蜂飛散開來。為了抓蜂回去養，我豁出去了。

那一年在美國留學，太太身懷六甲，將要臨盆的前幾個月，天天挺著大肚子極為辛苦。為了體諒她，我下班後，常會開車載她到附近鄉間兜兜風。

有一次七彎八拐，轉進靠近「美國河」的人行道前。霎時，我眼睛一亮，看見黑壓壓的一團蜜蜂，像個大波羅蜜，掛在河畔的木樁上。

因前一天賣舊車，把車子開去給買主時，正巧看到買主鄰居在抓前院樹叢裡的一窩蜂。我好奇地問：「蜜蜂怎麼抓？」那人不假思索地答：「很簡單，只要蜂王一進去，其他都跟著進去。」說著邊用有葉子的松樹枝，輕輕地把蜜蜂撥往四方形蜂箱裡；沒幾下子，一大群蜜蜂，全部乖乖地被他趕了進去。

前一天所聞所見歷歷如繪，望著岸邊那群蜂，我興奮地跟妻子說：「我也去買個箱子，把牠們抓回家養。」她沒反對，於是兩人又驅車到專賣店買蜂箱。回到河岸，蜜蜂還在，雖近黃昏，但天色仍亮。照著那人的示範，我也摘一根樹枝，輕輕去撥。畢竟是生手，那一撥，不得了，數百隻蜜蜂馬上飛散開來，我見狀，趕緊拔腿退後數步，妻站在不遠處，也看得直冒冷汗。

三五分鐘後，蜂群又回復原狀，我再試，情況比第一次好；又再試，更好。一次又一次，細心有加，但仍有幾分驚懼。終於費了九牛二虎的工夫，才把近萬隻蜜蜂完給征服。兩夫妻大鬆一口氣，好像打了勝仗般歡唱凱歌，興高采烈地帶著獵物回家。

後來才曉得，那群蜜蜂是屬義大利種，性較溫馴，牠們是「分家」後，老蜂王帶著一批工蜂飛離原窩，等著找新居，另起爐灶。我給他們一個「家」，正中下懷，難怪不但不敢叮我，還那麼合作。萬沒想到，一場人蜂交戰，會以「雙贏」收場。

養了蜜蜂後，原本沈寂的後院牆角，添增了幾分趣意，看著他們白天飛進飛出，忙得不亦樂乎，我也去店裡買養蜂祕笈，並添購養蜂器材——像手套、面罩、熏煙盒及蜂刷之類。面罩當然是為預防被螫，熏煙盒則是老闆推銷，說是初學者沒經驗，最好每次打開蜂箱前，先噴幾口煙，蜜蜂聞到煙味，就會安靜下來。果然不錯，每次稍為一噴，全都變得乖巧聽話。

散播甜蜜散播蜂

只是有一晚，我一時興起偷偷瞧瞧，心想牠們一定都在睡覺。手電筒一照，天啊！數十幾隻疾速從出口「蜂擁而出」，並衝著光線這邊迎擊過來，我嚇得立刻熄煙溜走，從此，夜間絕不敢再去越雷池一步。

一年後，因看書又觀察，慢慢就摸透牠們的習性，但仍免不了被螫。有幾次就被叮得嘴歪臉斜，「變臉」兩三天，妻還笑稱我變成「鐘樓怪人」。不過聽人家說，常遭蜂「吻」的人不會有關節或神經痛，不知是否拜蜂毒之賜，我真的從來沒有痛過。

蜜蜂如果覺得「蜂口」過密，會自動分蜂，由老王讓位給新王，自己帶著一群飛走。我養的那窩既是老一代，難怪第二年春天，牠們已準備要迎接新王；我打開蜂窩一看，除了密密麻麻的六角形蜂房外，尚有四五個凸出如花生殼般的蜂房，每一顆「花生」都是一隻女王。那一隻先鑽出，那一隻就會去咬死未破繭的女王蜂。萬一同時出生，雖是「姊妹」，也會拚個妳死我活。為了不讓她們自相殘殺，我又去買了三個蜂箱，將牠們分成四個家。果然不久，四個蜂箱，全都有了新王，並且箱箱又成功地孕育了下一代。

我也是上班族，無暇照顧太多蜜蜂，辦公室的同事聽我談起「蜂經」，興致勃勃，我就送走兩箱，分給兩個人，一個後來繁殖成功，還拜我為師；另一個則養得不好，蜂不幸得了怪病，全軍覆沒。

養蜂抓到訣竅後，兩箱子就產了不少蜜。豐收的那年，剛好是美國總統雷根頒佈的「聖經年」，我因在華人教會教聖經，想到以色列王大衛曾說：「聖經的話比蜜甘甜。」我就把整片蜜糖切成小塊，以漂亮的塑膠盒子包裝，當成獎品送給用功的學生，蜂蜜果然令人垂涎欲滴，一時之間，全教會K聖經、背聖經，蔚為風氣。

愛蜂就懂得愛家

足足養蜂三年，我學會蜜蜂那樣「愛家」，每天下班後，一定踩著「蜜蜂線」Bee Line——直線回家，絕不找理由在外逗留。蜜蜂傳播花粉、取蜜，有益於社會，「至死忠心」的精神，也給我不少啟示。就在準備要返國參加「更生團契」的監獄教化前，我把所有的養蜂配備，全都送給那「徒弟」，他當然是快樂得不得了。

回到台灣，我仍然在等待那一天，可以教教那些在犯罪邊緣的青少年養蜂。讓他們從觀察蜜蜂的一生，學習珍惜與尊重生命，進而擺上一己有用的生命給這個社會。

以柔克剛學「柔道」

心術不正學不來

從柔道的練習中，我學得了久練成鋼、熟能生巧的道理；也從柔道的「半勝」規則中，修得了凡事不輕言放棄的哲理。

多年前我讀警官學校時，體育課選修柔道。同學之間戲稱彼此為「道友」，稱兄道弟，無非希望平時練習，大家手下留情；戰時（對外比賽），要為學校爭光，在「道」上稱雄揚名。

耐性換功夫

班上的柔道教練姓黃，是當時柔道界的元老，擁有最高段——八段的實力。他自己年輕時，練柔道摔歪了脖子，因而走起路來脖子傾斜五度，不知情的人以為他要派頭。有一回，一群不良少年見他走路頭歪歪的模樣，好像瞧不起人，心中不爽，想要給他一點顏色，忽地蜂擁而上，出拳打他。

沒想到，幾個混混沒兩下子，全被他摔倒在地。正落荒而逃之際，教練逮到一個，和顏悅色地向對方解釋自己脖子歪斜的原因；那小子跑去告訴同夥，一群人又趕回來向他下跪求饒，並頻頻磕頭，苦苦央求要拜他為師。

不過，教練說，柔道是一種高品味的道，如果心術不正，是學不好的；真正學會柔道的人不會混流氓，而混流氓的永遠學不會柔道。說得也是，柔道是「以柔克剛」，本來就不是單靠蠻力。

像我們在練習時，就很講規矩；柔道衣要穿整齊，腰帶要束端正，對決前，要先行禮如儀；對決中，如果衣襟露出腰帶外，「儀容不整」，裁判也會喊暫停，讓雙方先整治妥衣裳，再繼續交鋒。所以想摔出一身功夫，還得需要有些耐性，一般混混是少了那麼一點點能耐的。

半勝與一勝

我們柔道班上出了幾個高手，他們才練一個學期，進步神速，身手矯捷。像綽號

「石頭」的班長，身高一百八十九公分，人高馬大，「大外割」練得爐火純青，誰被他的大腿「割」到，誰就應聲倒地，連老師都嘆青出於藍。

「阿助兄」個子不高，體重卻相當重，人壯得像頭牛，誰被他壓在榻榻米上，就別想翻身；他那招「內腿」神功，出腿之快有如神駒，來無影、去無蹤，擋都擋不及，許多校外的比賽，常靠他那雙大腿扛了獎杯回來。

我個子普通，體重也不重，但我比較認真，既選之則練之，每堂柔道課絕不摸魚，老師教什麼，我就勤練什麼，像學「兔子跳」練腳力，學「仙人跳」（從人脊背上躍過）練臂力，或「匍匐前進」練胸肌等，我都很賣力。

後來我對「丟體」練出心得，於是決心單練此招，「一日三練，三三九練，久練成鋼」，果然熟能生巧，巧奪天工，每次晉級比較，我都靠那一招，過五關斬六將。

練了兩年後，我很榮幸被選為柔道校隊，常與十來位兄弟南征北伐，立下不少汗馬之功。可惜大三那年的大專錦標賽，我們慘遭滑鐵盧，原因是賽前外宿旅館時，道友瞞著我——隊上唯一的基督徒，偷偷跑去看脫衣舞，結果第二天一出賽，個個如軟腳蝦；對方橫掃秋葉，勢如破竹，我「孤臣」一人無力回天。

從那次教訓後，教練都緊迫盯人。學校後來特別招收柔道保送的新生，我們畢業後，據說校隊「打遍全台無敵手」，風光得很。

柔道比賽中有「半勝」、「一勝」之分，半勝就是把人摔倒，但背部未全部著地。半勝不算勝，需要有兩個，才等於一勝；反之，一勝就是把人摔得很漂亮之意。猶記老師每每在講解時，都會一再強調：「萬一輸了半勝，你還未『真輸』，趕快起來，重整旗鼓，一鼓作氣後，只要摔個一勝，你就贏了。」

老師還說：「萬一對方半勝，又壓制你，你仍有三十秒可以翻身，要拚命翻，只要翻過來把對手壓制三十秒，你就『轉敗為勝』了。」「記住，未到最後一秒，不輕易放棄。」

絕不輕易放棄

這麼多年了，老師的諄諄叮嚀，言猶在耳，十幾年來，每與「更生團契」的人到獄中教化受刑人時，我常告訴他們「凡事盼望，凡事忍耐」，人生有輸有贏，輸「半勝」時不要氣餒，只要誠心悔罪，接受教化，都可以重新來過，甚至「敗部復活」，成為新造的人。

這個「不輕易放棄」的哲理，也幫助過我在美國，重建瀕臨破裂的婚姻，甚至目前的工作上，一遇到困難，都啟示我要「忘記背後，努力面前，向著標竿直跑」。

雖然柔道讓我練了一身是膽，體魄也很健壯，但做了警察，卻未曾用過一招柔道抓過半個小偷，真是感慨有點「英雄無用武之地」。也罷，如今年歲漸長，骨頭變硬，叫我再上場比武，恐怕非摔斷幾根骨頭不可。

偶爾翻閱相簿，看到昔日穿著柔道裝，在場上比賽那副神氣模樣，見兒子問：「爸，你是柔道幾段？」我自忖時不我予，大江已東去，只能望著他，露出滿足的微笑，並語帶玄機地說：「沒什麼啦，只是一……摔……兩……斷（段）而已！」

Part 4
愛是永不止息

～凡事包容，凡事相信，
凡事盼望，凡事忍耐。
愛是永不止息。

【哥林多前書】十三‧7～8

一份信仰的考卷

誰願參加這樣的考試

凶手恨惡少數民族及運動員，但是另外有一群人，就是基督徒，也同樣的為他倆所憎恨。

這一場測驗我們都想考好，可是沒有人真正願意參加。

蒙面的槍手用槍指著基督徒問：「妳信上帝嗎?」她知道如果答案是：「是」，她就要喪命；但是否認她的主，則更不可思議。

於是，那句話就成了她的最後遺言，她冷靜地回答：「是，我信上帝。」

這件事引人注目之處，乃是槍手並非共產黨的刺客，殉道者也不是中國大陸的牧者。你也許知道我說的就是四月二十日星期二，在美國科羅拉多州利多頓市發生的一件校園謀殺案。

是，我信上帝

據華盛頓郵報報導，有兩名學生開槍擊殺十三個人。凶手哈里斯及克雷勃並非隨意射殺，他是照著他們的醜陋偏見，在美國的萬花筒中精挑細選。

媒體指出，凶手恨惡少數民族及運動員，但是另外有一群人，就是基督徒，也同樣的為他倆所憎恨。算起來，整個可倫白高中他們所恨的人就多了，死亡的學生當中就有四個是基督徒，四個天主教徒。

其中一名叫凱西．勃納爾，我上述所提戲劇性的抉擇，就是凱西當時所面臨的處境。就像一部令人喜愛的電影《勇敢的心》的情景一致，英勇的主角最後殉道身亡。

凱西是留著金色長髮的十七歲高二女生，她蓄長髮是預備將來剪下做髮絡，可以給因化療掉髮的癌症病人用。她在西池社區教會的青年團契很活躍。她帶著聖經上學是眾所週知的事。

當那兩個年輕的殺人犯闖進時，凱西正在讀聖經。根據目擊者稱，槍手之一用槍指著凱西問：「妳信上帝嗎？」她怔了一下，說：「是，我信上帝。」槍手再問，「為什麼？」還未給凱西機會作答，槍手就開槍射死了她。

難得的是，凱西幾年前還曾涉獵異端及巫術，與那兩名卑劣的凶手，同樣落在黑暗與虛無主義裡。但是兩年前，凱西把一生交給基督，生命有了轉機，她的朋友克萊格稱她為「基督的光」。這「基督之光」在二千多年後的今天，已成為稀有的美國殉道者。

作死裡復生的真信徒

根據波士頓環球報的記載，凱西死的那天晚上，哥哥克里斯找到一首凱西於兩天前寫的一首詩，詩詞如下：

如今我願放下諸事，
因已找到唯一道路。
願我更認識基督，
經歷那復活大能主，
效法與祂同苦同死。
所以──
無論多少代價要付，
讓我以新生樣式活出，

作死裡復生的真信徒。

勇敢站起來說話

懷念凱西最好的方式是擁有一顆像她一樣對主永不改變、勇敢委身的心。例如，孩子們要玩暴力電動遊戲，我們應該勇敢地站起來阻止；當我們抗議社區的圖書館開放色情網站給民眾而遭居民譏誚時，也應該勇敢站起來說話。

對這位年輕殉道者的家人，我們能做的是寄予人道的關懷與同情。惟盼主耶穌的幾句話能帶給他們力量，那就是一個女人用油膏抹祂的頭時，祂所說的：

「普天之下，無論在什麼地方傳這福音，也要述說這女人所行的，作個紀念。」

施與得之間

真正的福氣

施與得之間的關係極其微妙，只要不求回報地真心付出，今日播的種，他日必結出果實來，得到的福分竟是加倍的多。

走透透全台灣大大小小的監獄幾遍後，我發現大多數受刑人都有個錯誤的價值觀——認為人生以錢最重要，只要有錢，什麼事都好辦。於是想盡辦法，偷、搶、賭、騙也好，反正就是要多「得」，因此人就慢慢變得吝於付出，貪得無厭。

其實，真正的福氣應該是從「捨得」開始，肯捨就有得，多捨必多得。這就是「施比受更有福」的道理吧！

寡婦的百萬奉獻

十年前，我們「更生團契」為了收容一批犯罪邊緣的青少年，需要一間房子。有一位寡婦，知道預防犯罪工作的重要性，捐贈一百多萬台幣，讓我們得以順利購買一層三十坪的公寓來辦理「少年之家」。

經過幾年的苦心經營，住過少年之家的孩子，有一半到現在還算知法守法，而那位給錢的寡婦，如今雖已年逾古稀，但身體比從前更健壯，精神、氣色都比同年紀的好得多。人給出去的是「身外物」，但回收的是錢買不到的喜樂與滿足，「助人為快樂之本」不就是這樣嗎？

有人說「種的是愛，回收的是加倍的愛」，這話一點不假，我們過去都不認識那位寡婦，現在，一大堆人從內心都敬愛她。

送雞得魚更得人

我曾在美國加州的政府做過十年事，負責難民的福利，幫難民在美國定居下來。多數的難民都好相處，獨獨有一位越南來的難民態度蠻橫，可能因搭漁船漂洋過海時，遇到海盜，受過刺激。我身為公僕，也不好對這位常出言不遜的人有所責難。

有一回他向我報告添丁，申請增加福利；我看機不可失，就去超市買了兩隻雞送到他家，請他燉雞湯給太太吃。他看我態度真誠，且身為政府人員，無此必要「光臨寒舍」，心中顯然受到感動。從此與我連繫時，口氣全然不同。後來，他們全家要搬去洛杉磯，臨走之前，他說要來見我一面。

來時，他手上拿著一包東西要給我，我說我是公務員不收「賄賂」，他說這些東西不是錢買的。我打開一看，原來是五六條他釣的鮭魚。

事隔多年，我每每想起這事，心中就覺溫馨。我給的是雞，他卻回報我魚。很多人都知道，美國的雞是飼料雞，很便宜；但是魚，喝乾淨的河水，價錢比較貴。算一算，我給五美元的話，他給我的至少多了十倍。

聖經說：「你們要給人，就必有給你們的，並且連搖帶按，上尖下流的倒在你們懷裡。」我的經驗就是這話最好的印證。

回收加倍的祝福

在加州，我除了上班外，每周固定兩天義務幫教會開車，接送婦女小孩。每次要先從家裡開車去換教會的十五人座廂型車，再去接人；等聚會結束，送完人後，再把車子還回去，後來我覺得這樣很麻煩，也浪費時間，於是計畫自己買一輛廂型車。

去看一輛中古車時，車主知道我的用途，特別算我便宜。我花點錢整修，開了兩三年後，教會另有年輕人接棒，舊車用不著，我就登報出售。

第一個來看的人是位專業油漆匠，一看就中意，不但出高價，還附帶幫我免費油漆房子。他出的價錢，扣除我買的原價、維修費及兩三年消耗的汽油費，還綽綽有餘，真是奇妙。我在想，一個人若肯給出時間、金錢，甚至是心力，回收的一定是加倍的祝福。

廂型車賣掉後，每次回家開車靠近院子，看到那粉刷得煥然一新的屋子，嘴角都會泛起會心的微笑。

肯給人的必有得

我有個舅媽，在我讀初、高中時，很恩待我，每次去她家找表兄弟玩，她一定會端出好東西來招待；我要離去時，她也會塞些零用錢在我口袋裡。

當時我還年輕，只懂得「受」，幾年下來，從來沒有回報她什麼。事隔四十年，我再次想起她老人家的恩情，才找到一次機會買點小東西給她。

舅媽如今已八十出頭，笑容依舊，身體也很硬朗，與舅父都已慶祝過鑽石婚，兒孫滿堂，各有所成。這樣看來，肯給人的，別人得祝福，他自己的福分也會代代傳承。

我現在愈來愈不難明白施與得之間的微妙關係。「施」只要真心，不求回報，不計代價，都像在播種一樣；種子在地理暫時看不見，但時候一到，一定會結出許許多多的果子來。

台灣曾被譏諷為「貪婪之島」，許多人只要得，不肯付出。讓我們都來學習「給」，以給代得，久而久之，臭名就會有洗刷的一天。

小事一樁威力大

一信之緣

一封信、一句話，甚至只是一隻虎頭蜂，都足以影響人的一生，左右他的人生方向。

認識簡先生是因收到他從監獄寄來的信，其實他的信不是寫給我的，而是基督教某單位把他的個案及信轉介給我，要我去監獄探望他。

從信上得知，他再過幾天就會出獄，於是趕緊回個函，言簡意賅地鼓勵他重獲自由後，一定要上教會。

信寄出去好一陣子，一直沒有他的消息，但我寧願相信他有收到信，出獄後也有上教會。過不久，果然接到他的信，信裡除了道謝之外，還說：「因著一信之緣，我現在已在教會裡……」

他的信帶給我些許安慰，因為有些獄中人，我就是寫一百封信給他，也無法說動他。這簡先生在牢裡熬過五年，渴慕教化，卻苦無專人帶領；他雖曾照著一把扇子上印的地址，寄信到一基督教機構求援，可是人家搬了地方，沒有回音；而我，只是禮貌性地回個函，寫幾個字勉勵勉勵而已，他竟聽進去了。

事隔九年餘，因那一封信，簡先生如今已成為我們「更生團契」不可或缺的好夥伴。他負責一家「中途之家」，全力投入協助出獄更生人，給他們吃、住，用愛拉拔他們，幫助他們重營社會生活。

一句扎心的話

陸先生是我多年前的大學同學，他畢業後留美，專攻電腦，在三十年前電腦業剛起步時，就已大放異彩。當年在校，他睡在我隔壁，每逢看見我在讀聖經，都會挖苦我一番。

有一次我們八個同學同桌吃飯，我低頭謝飯時，他竟尋我開心，把我的飯菜藏了起來，當我「阿們」一聲、祈禱完畢抬起頭來，他竟帶頭轟然大笑，並給我取個綽號叫「阿們」。從此，學校裡沒人不知道誰是「阿們」。不曉得是什麼因緣際會，陸先生後來把妻子孩子移民到美國去，自己成了「空中飛人」。

他一年幾次到美國時，也跟著親戚去教會，並且全家都信了耶穌；然而信是信，人在台灣時，為了生意，常要跟人吃吃喝喝，所以當基督徒多年，卻僅止於做做禮拜。

有一回我去他們教會講道，下了講台後，我對陸同學說了一句：「你什麼時候斷奶，吃乾糧啊？」意思是提醒他少應酬，多去教會追求長進，沒想到那一句話竟刺痛了他。

當時他貴為電腦公司的總經理，風光得很，我說他要「斷奶」，他當然難以消受，只因為是同學，他不好翻臉，只有強顏歡笑。

隔了三四年的某一天，他打電話給我，劈頭第一句話便喊「哈利路亞」；問他怎麼這麼興奮，他說就要去美國與妻兒團圓，而且工作已辭掉，他要在美國華人教會當牧師，我說：「怎麼可能？」他說：「自從你上次在教堂講了那一句扎心的話，我就開始到夜間神學院修課……」。

乖乖，「一言興邦」耶！只因一句話，當年嘲笑我是基督徒的人，自己反成了牧師。所以，現在我都不怕人嘲笑，因為笑我的人都會變成跟我一樣。

虎頭蜂螫一針

有一位陳姓典獄長治理監獄很有一套，法務部派他負責蓋監獄，他雖不懂建築，卻也能把監獄蓋得美輪美奐。監獄如果碰到那個長官隔天要來視察，他為了美化環境，一聲令下，隔天就到處詫紫嫣紅。

他對人犯的教化很關心，常主動邀請宗教界人士入獄中感化受刑人。像我也是常客，但我是「好東西與好朋友分享」，除了勸誨受刑人，重建他們破碎的心靈外，也常找機會與陳典獄長促膝論道。

他為人很客氣，明知我說的「道」是善道，也知道「朝聞道，夕死可也」，但就是無法用心接受，老是跟我打「太極拳」，說什麼「人在江湖，身不由己」，說他身分不一樣，到監獄教化的各種宗教人士他都要接待，無法信那一種教。當然宗教信仰自由，誰也不能勉強誰，我只好暗中禱告。

有一次監獄舉辦一場員工自強活動，大夥兒上山郊遊烤肉，正興高采烈之際，一隻虎頭蜂聞香飛來，就停在典獄長的頭頂，陳典獄長來不及揮手，毒蜂已經將他螫了一個大包。他聽人家說虎頭蜂會叮死人，當晚徹夜難眠。第二天淋巴腺腫了起來，他急忙去醫師處打針吃藥，雖然醫師頻頻安慰沒問題，但他總是無法釋懷。

於是他開始思考人生問題：「萬一我真的死了，怎麼辦？我往那裡去？」思索多日後，突然茅塞頓開，靈光一閃之際，想到我過去所說的也有道理，「信從真道，在愛裡就沒有懼怕」，於是下定決心當基督徒。

隔幾天，剛好我帶自美返台度假的同學陸牧師一起去探監，走進監獄大門，陳典獄長一見到我倆，笑容可掬地迎接我們，並急忙用他強而有力的手拉著我，說：「我要受洗。」天啊！一隻虎頭蜂的威力也真夠大。

當天我跟陸牧師就一起為陳典獄長舉行簡單隆重的受洗禮儀式。你知道嗎？陳典獄長也是我大學時代的同班同學。

傻小子的真智慧

傾酒而不飲酒

什麼時候人開始稱他「傻小子」，我不知道，不過，他一點也不傻，只是有一股傻勁。熱忱是過於人，常常幫這幫那，自己累倒了都無所謂。他有「只知傾酒，不知飲酒；只想擘餅，不想留餅」的狂狷，也有「只求付出，不求回報」的豪邁。

人家笑他傻，他也笑我傻，說我人在美國十七年，成家立業，住得好好的，何苦攜家帶眷回台灣到監獄教化受刑人？

有一回他看我們「更生團契」收支呈赤字，介紹我認識一位長者，說那人很有愛心，經費不足他會支持。見了面，我報告探監、輔導獄中人的一點心得，也把我的夢——要為犯罪邊緣的年輕人蓋一座「少年學園」，一五一十地講述給老先生聽，當談到我曾親自進入少年觀護所，與百多位少年犯共處一天一夜，勸勉他們要爭氣，不要再走迷途時，沒想到長者未動容，這傻小子竟已淚流滿腮。之後，我還未來得及看老先生的捐助，他早已把積存多年的儲蓄，劃撥進了團契的帳號裡。

給錢已經不易，他還奉獻時間、體力。當辦公室同事一起去「少年學園」預定地整理環境時，他也跟過來，在大太陽下，滿身大汗了，他還不肯歇工。

有一回割草，我出力過猛，把戴了二十多年老岳父送的手錶甩丟了，事後發現，卻不知掉在何處，心想，反正是老錶，「舊的不去，新的不來」。時隔半年多，我們再去割草時，奇妙得很，傻小子竟然自草叢中撿到我那只面目已全非的手錶。

經鐘錶店整修過後，每次我伸手看時間，心中都有一股如「浪子回頭、失而復得」的喜樂。多虧他老兄眼尖，否則恐怕我早已把老岳父的恩情，給忘得一乾二淨。

愈來愈年輕？

他看我四處奔波，往返全國各大小監獄，怕我累出毛病，到辦公室來時，常會帶「芭樂」給我補充維他命。他不希望我生病，也不希望我老得太快，教我每早晨用冷水潑臉三分鐘；說冷水能刺激細胞收回電能，瞬間產生的四十度高溫，可殺死殘存的微生物及病毒，使皮膚延緩老化，常保青春。

看我半信半疑，他特別舉一位退役將軍為例，說那人年已八十幾，臉上了無皺紋，又無老人斑，都是因為三十年來每天用冷水潑臉的結果。

既有學理又有人證，我怎敢反駁，於是姑且試之。起初不習慣，尤其在寒冬，但每次三分鐘過後，不但不覺冷，臉頰反覺得清爽舒暢。出門既不怕風，也不再感冒，更妙的是，才潑三年多，皮膚變滑嫩；我除了滿頭灰髮，臉上竟沒看到什麼紋、斑。妻甚至半羡半妒地說：「都五十幾了，你怎麼愈來愈年輕？」莫非傻小子這一招，比化妝品更有效！

其實他學識相當淵博，上知天文，下知地理；像當年的所羅門王一樣，不論山上的香柏樹、牆頭的牛膝草、野生的瓜菜，他都懂。雖然出身名門，父親是地方上的官，按年齡早該結婚了，但每一次談及婚事，他總是「顧左右而言他」。

大學讀的是電機，他卻天天搞景觀雕塑，曾雕了幾件像樣的作品得過獎。他一生最大的期望，是要在國父紀念館廣場，擺置十二座最具代表孫中山先生思想的景觀雕塑。我看過他的圖案，佩服他既創新又有獨到眼光。

平日做事已習慣拚老命的他，一開始著手規畫，就日以繼夜、廢寢忘食忙個不停。像以前當義工、為受刑人錄製卡帶、或為我們製作招牌，除親自動手做，不拿一毛錢外，還非得提前完工不可。

這次的大工程，他更是馬不停蹄。由於工作量過多，體力有限，還未完成其中的一件，他人已病倒，後來雖想苦撐下去，但卻後繼無力。

活的十字架

躺在醫院裡，他邊談邊咳，撩起襯衫，要我看看醫生為他開刀，在他胸腔上切割留下的十字型疤痕。他語帶幽默地說，從今以後，不必再戴十字架做裝飾品了，因為身上已經活畫了一大支。談完話，他硬拉著我的手，到另一幢病房去探視一位老婦人，他說她病得較嚴重，更需要安慰、代禱。

德蕾莎修女說：「愛是在別人的身上看到自己的責任」，這傻小子多年來就是那樣，為了別人，忘掉了自己；他應該就是最懂得給「愛」的人。

出院回家休養時，我曾打過幾次電話給他，都說很好，過不久再打，已無人接聽。後來我出國，傳出他再度入院，接受化療。沒多久醫生宣告藥石罔效，他走了。

「仁者樂山，智者樂水」，他喜歡山，也喜歡海，既仁且智。家人為他找到在淡水一處山上，遠眺台灣海峽的靈骨塔，安放骨灰。

短暫的五十幾年歲月，付出多，享受少，但他卻活得非常喜樂、精彩。如今息了地上勞苦，工作的果效隨著他，留下來的是，令我無限的追思和愛的回憶。

新好男人萬歲

好男人的標準

有一次我去參加一個座談會，剛好旁邊坐的是某縣長的夫人，她提到他們縣裡有許多男人，行止頗為「大男人」，比如：好辯、脾氣大、不幫家事、應酬多；她說，她要發起一個「新好男人」運動，讓男人更愛家。我聽了拍案叫絕，因為失職的父親或不盡責的丈夫實在太多。

但好男人的標準是什麼？實在很難有個定論，不過我有好幾個朋友確實是道道地地的好男人，向他們看齊，就應該夠水準了。

下次豈敢再打她

頭一個是留美博士，他旅居美國多年，原先在台灣就是個「大男人」。赴美娶得嬌妻後，把太太留在家裡看孩子，因無後顧之憂，很順利拿到學位。但夫妻總是共患難易，同富貴難，正值他事業達到顛峰時，因恃才傲物，脾氣變得極為暴躁。

有一回為了細故，他揮手摑了太太一巴掌，太太一時之間嚇得花容失色；她從沒想到教授級的丈夫，竟會像流氓般出手打人。正哭得傷心欲絕、哽咽不止時，因吸氧過多，臉孔突然開始發黑，丈夫一見情勢不妙，趕緊送她就醫。

醫院的護士看過太多被虐的婦女，經驗老到，在救助後告訴她：「下次他敢再打妳，You fight back！（妳打回去！）」。

經過這一次的教訓，丈夫學到功課，禱告認罪時，對這位留在家相夫教子的妻子備覺珍惜。不過，他深怕自己再度揮拳，毀了婚姻，於是每天下班吃過晚飯後，主動下廚幫太太洗碗、拖地板。太太原不忍心看忙碌一天的丈夫還要做家事，但看他邊做事邊哼歌，又看到孩子有樣學樣，也就釋懷。

後來這個家常聽到歌聲、笑聲、鋼琴聲；夫妻關係和諧，丈夫也成了當地留美學人的好榜樣。

最美的兔唇

我以前在美國讀書時，選修「犯罪學」的人大都是現職警官。有一老美就對我這台灣去的警官特別友善，常邀我喝咖啡聊天；他也曾親自駕警車，帶我一起去巡邏，並當面逮捕人犯給我瞧瞧。

最難忘的還是他請我去他家。原以為他一定有個漂亮的太太和大房子，才會想「炫」一下，但出乎意料，房子不但普普通通，太太態度雖親切，長得也很平常，甚至就近一看，更能看出她嘴唇上仍留有兔唇縫補過的痕跡。這樣一個平平凡凡，而且還略帶殘障的妻子，他竟如此愛她，以她為榮。

在他家，他不時「媽咪」長、「媽咪」短，學著孩子親暱地叫她，也幫太太做家事。有這樣體貼的丈夫，難怪妻子會忘掉自己身上的缺陷，心理常保健康。

聖經說：「你們做丈夫的要愛你們的妻子，如同愛自己的身子，因為她是你的骨中骨、肉中肉，與你兩人已成一體。」我看我那位警官同學是真的活學活用出來了。

回家吃飯最要緊

第三個新好男人是名人，他走在馬路上，很多人都認識他。

他自結束四十年的演藝生涯後，用心推動社會公益，做了不少好事。近兩三年來，他每周和我們「更生團契」一起去各地的監獄教化受刑人，有時跑到綠島、金門，但不論跑多遠，他每天一定要回家與愛妻共進晚餐，他和太太有個默契，白天再怎麼早出門，或怎麼忙，晚上一定回家吃飯。

他常在出門前，給太太留張紙條，字裡行間，除了相思，也交代一些該辦的事。短短幾句話，妙用無窮，一天雖然沒見面，心靈卻分分秒秒連繫在一起。

已結婚四十年的他，從踏上紅毯的那一端開始，就誓言絕不離婚。雖然過去他太專注事業，忽略妻子的感受，婚姻生活曾經起過風波，但他總是堅守諾言，盡力化解危機，絕對不讓婚姻破裂。

十幾二十年前，他經陶大偉帶去教堂信了耶穌後，更是努力經營婚姻，夫妻間的關係愈來愈融洽，連孩子的婚姻也受感染。一家人現在都走進教堂，在愛的環境中學習成長。

他也到處演講，勸勉做丈夫的，要多陪妻子、孩子，要懂得「尊重生命，絕對愛家」，才是真正的幸福。

至於我，也幫太太洗盤子，不跟太太吵嘴，更是天天回家吃晚飯。在美國時，我甚至為了省錢，幫太太燙頭髮；你說，我這樣算不算是「新好男人」？

大聲說出我愛你

活到老愛到老

每年的二月十四日，我老岳父最高興，因為這一天是情人節，也是他的生日。老人家不是「情聖」，但他相當懂得真愛。年紀七老八十時，在兒女為他舉行的慶生會裡，他還會親親老岳母的粉頰。

結婚逾五十五年後，倆老雖然相繼「蒙主寵召」，遺留下來以身相許，一生相愛的楷模，卻常讓後代懷念不已。

只有一個太太

我曾在台北的教堂參加過一次特別的聚會，那一天會場擠滿了人，長紅布條寫的是「40、60、80感恩」幾個大字。

那是一對老夫妻的八十大壽，兒孫成群，膝前承歡，兩老露出喜悅的笑容。丈夫也在教會擔任長老，常帶著妻子到處傳福音，四十年了不改其志。而「六十」就是他們的鑽石婚。夫婦相處長達半世紀以上，能不變心，真是難能可貴。

九五年我到美國鳳凰城訪問後，從旅館裡出來要去搭機，剛好在車上就坐在一位美國機師的旁邊。寒暄幾句後，知道他是基督徒，於是敢問：

「結婚了嗎？」

「是！」

「多久了？」

「十六年。」

他話才說完，馬上語帶雙關、意有所指的又補上一句：

「Only one wife.」

我心想，「只有一個太太」不是理所當然的嗎？難道在美國還可能擁有三妻四妾？後來我明白了，他要傳達的是，他忠於妻子，不會像有些男人，四處飛，又到處留情。

在美國，不要說金婚、銀婚，能維持十六年什麼「婚」的已屬鳳毛麟角了，這，他能不引以為豪嗎？

一層高過一層的愛

我在台灣各大小監獄跑了十幾年，接觸不少婚姻破碎的個案。多數男人因脾氣暴躁，有的天天喝酒打人，賭博，逢場做戲，導致妻子的不滿，不但毀了婚姻，也製造不少青少年犯罪問題。所以我一有機會向社區演講時，常會提古希臘人的四個「愛」字，勸民眾要懂得真愛，婚姻才不致於「短命」，兒女也才不會受害。

第一個愛字是Eros——伊裸士，指的是男女間的「性愛」，這是肌膚之親，在婚姻裡才是聖潔的。

第二個愛是Storge——施多給，指的是親人間的「情愛」，範圍由夫妻擴大到兒女、親戚，是維繫正常家庭關係的重要元素。

第三個愛是Phileo——非利我，乃指「四海之內皆兄弟也」的「友愛」，層次由周圍熟稔的親人提升到遠方陌生的外人。

愛的最高層級是Agape——愛加倍，這是「聖愛」、「博愛」，是愛的最高峰，是完全犧牲奉獻、捨己為人，不計代價，不求回報的愛。

人若懂得這四種不同層次的真愛，就不會病態式的只求個人性欲的滿足，而對別人性侵害；真愛由近而遠，由小擴大，能忠於配偶，看顧親人，又能推己及人，人溺己溺，甚至愛到最高點——化敵為友，愛那不可愛的。

真愛要等待

有一晚，家中電話鈴響了，我匆匆趕去醫院探視一位病危的九十歲老太太。病床旁站著自美國回來的女兒及帶著幾分愁容、同是九十歲的老伴。

隔不幾日，老伴走了，他寫了一篇「七十年恩愛，無限追思」的悼文，我多次拜讀，受感甚深。

「妳走了，是夢嗎？是現實的夢破滅了，還是妳歸立的美夢實現了？由幼到老，我倆經歷了千辛萬苦，走過坎坷的路，終能相持相守，恩愛生活，常達七十餘年。世上像我們這樣幸福，能有幾人？我企盼、我盼望，有一天，再續前緣……」

美國人前幾年流行一句「True love waits, True love lasts」，就是「真愛要等待，真愛能長久」；時下的年輕人喜歡談情說愛，但沒有被教導，動不動就要「性」，甚至連速成的「網路一夜情」，過後忘得一乾二淨的性，也成了流行。

婚前守住童身，婚後不亂性，相親相愛，堅持「只有一個太太」，我覺得那才算是真愛。

家也可以像天堂

剪髮自己來

家是愛的窩，是風雨中的避難所；好好經營，家居樂趣多，家也可以像天堂。

我們家人口簡單，女兒七歲的時候，人在美國，沒有玩伴，我們給她買了一隻小鸚鵡作伴。

女兒幫小鸚鵡取名叫Birdy（寶弟），寶弟集「三千寵愛於一身」，一家三人常圍在鳥籠邊，對著牠講話。不到三個月，寶弟竟會把我們教牠的「come on, Birdy」說得一清二楚。只可惜，通後院的門有一天開著，不小心，寶弟飛走了。

現在人在台灣，我們家還是有一隻小鸚鵡，只是牠不說話，但每當鋼琴聲響起，或我引頸高歌，牠就會點頭，並吱吱叫個不停，一隻小小的鳥兒，就給我們家帶來不少歡樂。

女兒十歲時，我們家添了丁。他今年讀國三，為了學校的儀容檢查，一個月要剪髮一次。看到太太幫我理髮外，還要剪兒子的，太辛苦，於是我自告奮勇，雖然了無經驗，還是樂意擔起理髮師的工作。

頭一次剪，兒子的反應還好，他的同學也說「還不錯」，後來我信心愈大，技術愈好。現在已兩年了，他要我剪什麼髮型，幾乎只要我花上半小時，都能「包君滿意」。

說不完的話

一家四口常找機會一起玩遊戲，那些遊戲都是美式的，像Connect Four, Battle Ship, Monopoly等都很有趣。我最喜歡的一種叫Trouble，四個人圍著桌子，競爭激烈，緊張刺激。最後不管誰贏，大家都會笑成一團，這也是天倫樂。

女兒的同學來作客時，看到我們全家人不但同桌吃晚餐，飯後還會在客廳聊天，很是羨慕，她對女兒說：

「妳跟妳媽好像有說不完的話，我跟我媽都無話可說。」

其實大人都太忙，沒有時間給孩子，所以彼此才會溝通不良。

一家人除了女兒外，都是六月出生。女兒自認「生不逢時」，以無法跟我們一起慶生為憾。但她都會為我們三個壽星畫海報、掛氣球，並寫生日卡祝賀。

暑假時，夫妻倆偶爾出遠門一兩天，看家照顧弟弟的是她。每次我們回到家，都會因大門口貼著「Welcome Home」的大字報驚喜，而屋子裡一塵不染，餐桌上擺置鮮花，主臥房床單換新，更叫我們覺得——愛已得到了回報。

兩個孩子跟媽媽的互動很多，小的常會依偎在妻的懷裡，安安靜靜地讓他媽清耳屎。女兒除了愛跟她媽媽彈琴唱歌外，也常幫她捶肩按摩，甚至她愛媽媽更年輕，也常在妻的髮堆中找白髮，細細地予以拔除。

以愛拉近距離

在美國時，家裡常有客人，後院種的十棵果樹，就是幾位台灣去的新移民栽的。時隔二十多年，那些果樹依然存在，每年結果纍纍，新的屋主吃都吃不完。

我們也常帶著孩子去探望教會的會友，孩子每到人家家裡，碰到有害羞的小孩不敢出來見人的，他們都會主動跑進去臥室找小朋友玩。從小他們見慣了人，就比較能拉近與人之間的距離。

兒子學校的老師曾把班上的一位女生交給我們輔導，要她下課後跟著兒子回家，寫完作業再走。那女孩跟阿嬤一起住，阿嬤不管事又不識字，無法督導。她寫完作業後，有時也會留下來跟我們吃晚飯，家裡多了個人，也熱鬧了許多。只是，同樣是孩子，有的有人關心，有的回家後看不到父母，真是情何以堪。

有愛永不失敗

我們夫妻結婚已經三十多年，在美國的十七年期間，由於工作穩定，起居作息正常，兩人幾乎是天天一起刷牙，一起上床。現在比較忙，刷牙未必能同時，但還是睡同一張床，蓋同一條被子。

同床共眠有許多好處，至少：睡前有時間談心；踢被子有人蓋回去；萬一作噩夢，也有人幫忙搖醒。

根據美國的一項家庭調查報告指出，七百五十對結婚超過二十五年的，成功祕訣有三：

一、彼此委身。

二、欣賞對方。

三、常在一起。

這三點我大致做到。常在想，為什麼會有那麼多怨偶？那麼多青少年犯？有沒有解決或預防家庭出問題的方法？

有。

聖經說：「Love never fails.」（愛永不失敗）。愛能遮蓋過錯，療傷止痛。為人父母的，若能彼此相愛，並多給孩子時間，陪著他們一起成長，家，都可以變得像天堂。

用愛搶救婚姻

八年「抗戰」

走上婚姻路，才知相愛容易相處難；但是，只要多付出關心、愛意，學著捨棄己見、愛人如己，便能化婚姻危機為轉機。

打從我去美國讀書，就體驗到婚姻路的坎坷難行。那時，剛成家，太太和我個性差異大，加上異國文化的衝擊，以及經濟、學業上的壓力，我們常因細故爭吵；生完孩子吵，畢了業也吵，吵得全家雞犬不寧。幾乎敗陣下來，真想一走了之。

「抗戰」近八年，直到參加幾次婚姻座談會，從中學會「捨棄己見」、「多替對方著想」，並在眾人面前宣誓，願「愛妻子如同己身」、保養顧惜，關係才漸好轉。

幾年後，女兒一句：「你們好久沒吵了！」我們才恍然大悟，原來愛的力量如此神奇，能化解冤仇，癒合傷口；僅因多付出一分關心，婚姻就有所改善，相愛何不趁早？

婚姻漸入佳境後，開始注意身邊一些家庭的需要，遇有急難、衝突，我都義不容辭，挺身相助。

重披婚紗化危機

曾有一對夫婦，吵吵鬧鬧二十年，在美國定居十年後，我才認得他們。男的不懂體貼，女的情緒不穩，兩人的爭執有時在夜半，有時吵到天亮。

以前有婚姻專家說：「要與哀哭的人同哭，與喜樂的人同樂。」我就陪他們一起哭、一起笑。幾年後，我建議他們舉行銀婚慶禮，刻意安排他們重披結婚禮服，站在百位親友面前，再立海誓山盟——相愛至死不渝的婚約。

如今，數十年的煎熬已成過去，自從丈夫心臟開刀後，他們彼此更加珍惜。出雙入對，手牽手、肩靠肩，四處當義工，羨煞許多人。

我自美返台服務不久，一次受邀在一家庭主持伉儷團契聚會，那時有七八對夫妻參加，唯獨那家男主人會前因故與妻爭吵，負氣出走；座談會裡只有主人這一對不成雙，氣氛尷尬。會後，我們安慰女主人，並勸她學習柔順，以柔克剛；也藉著「愛人如己」來挽回丈夫的心。

事隔四年，再次到他家主持同樣聚會時，出席的人數加倍，連他們的兒媳也加入。男女主人談往事，分享化婚姻危機為轉機的經驗，感動許多人。

我的號碼是三五四

前幾年，一位幫殘障者推輪椅的女士遇見我，知道我在監所從事教化工作，盼望我去探望她在獄中服無期徒刑的先生。這位年輕的太太，兒子將誕生時，丈夫突自家中被警察帶走。

經歷了諸多打擊，她忍辱負重，扶養孩子、侍奉公婆，所有的努力只想換得丈夫回心轉意。萬沒想到探監時，丈夫竟對她說：「我的號碼是三五四——『三十五歲會死』，不想耽誤妳的青春，妳走吧！」椎心傷疼之餘，經娘家同意，她辦妥了手續離開夫家。

經我們多次到監獄教化，她前夫的心逐漸軟化，痛改過去，並盼望能與妻子破鏡重圓。當消息傳到她耳中時，雖然身邊不乏愛慕的男人，但為了兒子長大後不致因家庭殘缺變成不良少年，她願意再給他一次機會。

經歷了十年九個月的鐵窗歲月，他年已四十，出獄後半年，在大教堂裡，挽著妻子的手，由坐牢時出生的兒子當花童，歡歡喜喜一同走上地毯的另一端，接受親友的祝福。

以愛拉他們一把

「黑道蹉跎三十年，浪子回頭做園丁」，報上登載過這位黑道大哥的過去，他混跡黑社會，搞幫派、販毒、賣槍枝，惡事做盡。他在最後一次被「掃」進管訓時，妻子忍無可忍，把他「休」了。

出獄後想回家，剛走進家門，就被女兒的手用力推出，他在打了女兒一巴掌後，悻悻然走了。該在何處落腳？徬徨之中，他來到更生團契的「中途之家」；住上幾個月後，他變得很勤快，幫人割草做園丁。前妻在女兒的說服下，也來探聽究竟。

摸清前夫的真實狀況後，她接納他，歡迎他回「家」吃飯，只是「名不正，言不順」。然而出獄僅一年，誰有把握他不會故態復萌？當丈夫問起：「我們再結婚好嗎？」她很有智慧地答：「不好……先訂婚可以？」

經訂婚半年的觀察，妻子確信丈夫已改變，且完全脫離黑道，同意在那年最後一個星期天，於眾人面前重披婚紗，「再嫁」給她的丈夫。

結婚猶如航海，難免遇暴風巨浪，需要有個熟練的舵手掌舵。你我都可能因經歷風暴，而累積不少經驗，不妨伸出雙手，與危難之家同掌舵。當暴風雨過後，艷陽重現時，我們將發現婚姻原是這麼甜美可羨，人生的歷練也因經風雨打擊而更顯純熟。

台灣現階段的社會，搖盪不安，許許多多的家庭可能存在著翻船、觸礁的危機，你是否願意伸出援手，以愛拉他們一把？

陪他們度過青年劫

伸出愛心的杖

到少年監獄去輔導受刑人時，看見他們雖然年紀還小，但臉上已添了幾道世故的紋路，待一開口卻又透出些許懵懂無知的稚嫩。這就是處於青年階段的新新人類，不可避免要面臨的衝擊、矛盾、徬徨，很難衝破，但一定要度過。我們姑且稱之「青年劫」。

進入E世代的此刻，年輕一輩的人生觀、價值觀早已大變，但我們不難體會年輕人心性不穩、誘惑太多的彷徨，以及追求物質滿足帶來的心靈空虛。

他們正如同一群迷失的羊，亟待良師益友伸出愛心的杖，來引領進入青草地、溪水旁。

管教要趁早

最近所接觸的一個個案，是去年耶誕夜，因在國中校園烤肉時，與另一群年輕人起衝突，憤而舉刀殺人。他才十六歲，長得又高又帥，曾是國中的籃球校隊。打球本沒問題，但他會蹺課蹺家，和大孩子混在一起學抽菸打架。而那票人沒錢就打工，有錢就吃喝玩樂，完全沒有人生的方向。幾年下來，孩子偶爾回家，在客廳內抽菸蹺腳時，父母已管不動，只好隨他去，因而種下日後殺人的惡因。

當代的父母也很難為，辛辛苦苦賺錢養家，但孩子不知父母恩，常受媒體及世風影響，有樣學樣，以致養成頂嘴回話的壞習慣。社會各個角落又充斥著五光十色的誘惑與陷阱，父母如果沒有用心的參與或指導，孩子很容易就隨波逐流。

從我多年在監所的教化，以及養育兩個兒女的經驗，了解年輕人可塑性高，愈早下工夫愈好。誠如所羅門王的箴言：「教養孩童，使他走當行的道，就是到老，他也不偏離……趁有指望，管教你的孩子，你的心不可任他死亡。」

沒錯，教導要趁早。不過，萬一孩子已出差錯，也不要灰心，繼續努力，讓孩子了解父母的苦心，總有機會挽回的。

四個建議

到底父母當怎麼做，才能陪孩子度過「青年劫」，引他們步上正途？

一、常在一起：

據美國一項問卷調查報告，青少年認為「幸福家庭」構成的主要條件是「doing things together」。現今的父母，大多數太忙碌，沒有時間陪孩子。「更生團契」曾調查過少年監獄裡的三百個個案，發現其中有百分之五十六是工人或商人子弟；理由很簡單——孩子在沒有大人陪同的環境下，很容易出事。各位為人父母者，試著每天下班後不去應酬，早點回家陪孩子寫作業、談談心。

二、多鼓勵：

孩子們的上進心，可以從正面的話語獲得提升，「一句話說得合宜，就如金蘋果在銀網裡」，美得無比。過於嘮叨只會讓孩子厭煩，激他們反感。

鼓勵能帶給孩子做人做事的信心，也會為他們日後心智的成長奠定穩固的基礎。

三、管教得體：

有個坐牢的孩子告訴我，他爸爸常「修理」他，多次被打得鼻青臉腫，有幾次被摔到去撞牆，撞得眼冒金星，幾乎暈厥。「受害人常會成為加害人」的新聞屢見，他在忍無可忍下，夥同幾個損友反擊，一起動手殺死父親。

管教過當固然有罪，寵溺更是有害。現代家庭子女少，父母或祖父母有時疼惜過甚，鬆多於嚴，以致小孩子從小養成「小皇帝」的性格，長大後出入社會，EQ常出問題，誰都難與之相處。

除了言教，身教尤其重要，父母要孩子不抽菸、不喝酒、不口出髒話，自己當然應有好榜樣。榜樣加上祝福，是給兒女最大的產業。

四、父母愛裡成長：

美國心理學家魯賓博士曾說，美國夫妻有百分之五十彼此是水火難容，視對方如仇人；百分之四十是平淡如水，得過且過；只有百分之十是如膠似漆，恩恩愛愛。

現在台灣的情形也好不了多少，夫妻之間如不及早想辦法改善關係，最後受害的是自己及子女。

為人父母者若能善加維護婚姻的完整與美滿，讓孩子在一個和諧有愛的環境中成長，平心靜氣減緩「青年劫」可能帶來的傷害，讓每個孩子都能平安快樂地成長。

化危機為轉機

今年真是「歹年冬」？

二十一世紀剛來臨，人們就傳說「歹年冬」將來了，我有點相信。台幣貶值，產業又外移，失業率攀升，搶案特別多，許多人因而對未來感到憂心。

可是靜下心來想一想，苦難有時是「化裝的祝福」，危機也常會變成轉機。經歷「山窮水盡」後，呈現眼前的「柳暗花明」，絕不會只是虛夢。

學會「等候」的功課

十多年前，我也曾度過人生的風暴。那是女兒八歲的時候，她想要有個弟弟或妹妹。

當太太懷孕兩個多月流產後，全家人頓時陷入愁雲慘霧。女兒整日哭喪著臉，讀書不能專注。

妻和我看了於心不忍，於是毅然決然打起精神，拿出聖詩，大聲與女兒一起引頸讚美，效法初代教會聖徒保羅在獄中夜半高歌，苦中作樂。果然過沒多久，我們的心情逐漸平靜，日子也不再那麼難過。

隔了一年，妻再度懷孕。兒子誕生後，女兒最為開心。一家人無論要到那裡，女兒一定會幫忙預備奶瓶、尿布，儼然像個「小媽媽」，成了妻最得力的助手。

我們夫妻倆因流產的打擊，學會「等候」的功課，也更深一層體會保羅所說「患難生忍耐，忍耐生老練，老練生盼望」的涵義。從此我們對女兒較前更有信心，待人接物也較前老練成熟。

靠近傷心的人

苦難本身並不可怕，失去信心才真可怕。「哀莫大於心死」就是這個意思。

黎巴嫩山上的香柏樹之所以自古聞名，因它經過風雨吹襲飄搖，根部釋出酸液，扎入岩石縫中後，樹幹也就因扎根深愈發挺拔堅實。

同樣的道理，表皮有傷疤，重疊沉甸的柳橙通常甜分較多，因它們經過創痛後，會汲取更多養分癒合自己。

苦難足以塑造高尚的人格，它能剝脫人的虛偽與驕傲，讓人更謙卑順服，如同經過火煉的金子一般，渣滓既已燒淨，就愈顯得光輝奪目。

處在困境的人很需要別人的幫扶。試著去靠近傷心的人，與他們肩靠肩，面對面。未必刻意要說什麼，與他們同掬辛酸淚，對他們就是最大的安慰。

我們也願原諒你

嘉義水上鄉命案的闞家人能夠重新站起來，靠著就是信仰，以及別人的撫慰。那是一個平常的夜晚，一名瘋漢突然闖進門內，二話不說，朝人便砍，闞牧師在亂刀中喪生，兩個女兒也嚴重受傷。在痛苦無助的時候，友人到闞家表達關心，細聽他們泣訴，也與他們一同哀哭。

闞師母起初很難接受「上帝的僕人」竟要橫死刀下的事實，有時也難免對囚禁在看守所的加害人咬牙切齒。經過陣陣悲痛後，師母明白哀傷並不能療傷，便擦乾眼淚，迫使禱告，並把受傷須坐輪椅的女兒送去韓國祈禱山。

爾後，女兒的身子在眾人不斷禱告，以及醫療與意志力支撐下得治，一家人對歹徒的恨意也全然消除。他們表示，願意學習耶穌的精神，饒恕那名加害人。

當他們獲知兇手免除死罪、被判無期徒刑時，師母心中甚覺安慰，她為他能活著感到高興，期待有一天能到獄中去探視，並親口對他說：「耶穌愛你，我們也願意原諒你。」

向著標竿直跑

人生難免有風波，有時一波未平，一波又起，勢如泰山壓頂，令人無力招架。此時除了需要別人及時的救助，千萬也別忘記自己的潛能，壓力通常能釋放人內在的潛力，使人平日做不到的事，在急難時，有能力做到。

西方人說「Let bygones be bygones」，往事應該讓它沉澱，讓我們不再為過去懊惱悲傷，重拾歡顏，一起「忘記背後，努力面前」，向著標竿直跑；在新的世紀，竭盡心力，奔向那擺在前頭的路程。

每天都是感恩節

常懷感恩心

一生中要感謝的人和事很多，若能知所感恩，別人還會對我們「恩上加恩」；若不知感恩，就是負義，恐怕連得來的恩澤也會漸漸消失……

美國人的感恩節這一天，家家戶戶都會烤火雞、煮玉米、做南瓜餡餅，一起歡度佳節。無家可歸的人，也會有救世軍等慈善機構為他們預備火雞熱餐，讓他們到會堂內唱唱詩、解解愁。

我參加的加州華人教會，早就入境隨俗，年年要席開四五十桌，由每個家庭攜帶菜肴來共同享用。由於人多，為避免菜色不足或清一色，教會都會事先列出菜單，讓人自由填表簽名。

通常每次這樣的聚餐，都會有三十隻火雞，以及幾百個大餐盤，廚房裡負責管飯食的，忙得不可開交，包辦切火雞肉的弟兄，切到手指發麻，也覺不亦樂乎。

對於受過苦，曾經接受別人救助的人而言，感恩節其實意義非凡。

記得二十幾年前南越剛亡國時，許多難民搭乘舢舨船逃離家園，在海上經歷九死一生後，終於踏上美國的國土，重新呼吸自由的空氣。他們在感恩節的餐會裡，曾說過一句令我畢生難忘的話：

「我們，每天都是感恩節！」

我也很想做個感恩的人，每每想起「聖經」裡一段記載，說耶穌醫好了十個痲瘋病人，但只有一個回來道謝，我就常勉勵自己不要做另外那九個忘恩負義的人。人真矛盾，記仇特別清楚，恩情卻常如過眼雲煙。

我常感謝的人

我常感謝的有兩個人，一個是我高三那年，讓我在教堂與他同住的王老牧師。他當時七十多歲，退而不休，來到我們彰化鄉間小教堂牧會。與他同住的兩個學期，他每天陪我讀聖經、禱告，教我彈風琴，又關心我的學業。我北上參加聯考等考試前，他特地為我按手祈禱祝福。

我感覺得到他的愛心及奉獻的精神，深深影響著我。隨後我能順利通過考試，到美國讀書，並在十七年後回國服務，跟他捨己為人、至死忠心的傳道風範大有關係。

另外一位我應該感恩的是我的太太，如果不是她肯放下多年在美國打拚的基礎，以及舒適的生活與工作，在十五年前跟著我帶著兩個稚幼的孩子，回台灣「更生團契」教化受刑人，恐怕我一個人也走不了。

每個人一生要感謝的人與事一定很多，除了父母恩、親友情外，連國家設立為民服務的公僕，我們也得向他們表達謝意。像警察不分假日、不畏風雨，為維護社會治安，有時還要在槍彈中出生入死，這些都是恩情，都該感恩。

恩上加恩

烏鴉會反哺，小羊會跪乳，人若不知感恩，動物都不如。知所感恩，別人還會對我們「恩上加恩」，若不懂得感恩，就會負義，久而久之，恐怕連得來的恩福，也會漸漸消失。

真可惜，台灣沒有感恩節，但一曲「感恩的心」倒是全國風靡。心動也要有行動，寫寫卡片，打打電話，聚聚餐，都能聊表感恩之意。

像我太太在美國幫助過的一個家庭主婦，那時她常被先生毆打，夫妻倆鬧到幾乎要離婚。後來經長期的關懷與輔導，如今他們破鏡重圓，夫唱婦隨，兒女乖順。每年感恩節，他們都會打一通電話給我太太說聲謝謝。

自三百多年前英國一批清教徒搭乘「五月花號」船，抵達美國新大陸東岸的普里茅斯後，由於水土不服，一百○二名新移民病死不少。第二年幸得印地安土著的協助，種植成功並安頓下來。

那個一六二一年冬，清教徒為感念上帝及人的恩情，特別邀請當地土著一同吃火雞歡慶。如今這習俗已沿襲數百年，至一八六三年林肯總統宣布為國定假日後，每年的十一月第四個禮拜四已成了美國的大節。

多麼盼望台灣有一天能有感恩節，未必要放假，但可以藉著節日相聚用餐時，提醒自己及家人，要常懷一顆感恩的心，做個知足感恩的人。

《推薦1》他就是黃明鎮

孫越

據說，在少年時代他就是這種，「是」就說「是」，「不是」就說「不是」的個性。絕不鄉愿。他有謙謙君子之風，與他深厚的修養十分相稱。

他是一位愛神、愛人的傳道人。幫助受刑人，為他們解惑的時候，他都會教他（她）們從聖經中尋求答案，尋求生命的意義。難怪許多死刑犯在他們的臨刑之前，都願接受耶穌成為他們生命的救主。

他雖終日裡在監所教誨人犯，卻也不時的關心那些長期在監所裡面服務的工作人員，從管理員到所長、典獄長。

他是一位諄諄善誘的老師。他的身教從用餐桌上的「公筷母匙」開始，到「衣著方式」無一不中規中矩。

他是我們社會的榜樣。十多年前他願放棄在美國政府一份高職位的工作，順應了上帝的呼召，應允更生團契創辦人（一位退休的典獄長）陸國棟牧師的邀請，回國擔任團契總幹事。這些年來他也積極的投入「和睦」的工作，他不僅要「受刑人」與「家人」

合好，也要求「受刑人」向「受害人」或「受害人家屬」道歉，也每年一度的與救世傳播協會聯合主辦「關懷刑案受害人家屬」的活動。

他就是黃明鎮牧師！

《推薦2》誰才是真正的囚犯？

杏林子

記得許多年前，我曾寫過一齣舞台劇「囚」。大意是說一位平日公正廉明、甚受社會尊重的法官，因為情慾的誘惑，犯下了許多不為人知、傷天害理的事情。他一方面要維護自己的形象，一方面又不由自主陷身在罪惡中，心中的矛盾與掙扎，只有藉著酒精逃避良心的掙扎，最後精神崩潰、發瘋而死。

另位主角是個囚犯，年輕時犯下殺人重罪，從此過著風聲鶴唳、四處逃亡的日子，整整逃了三十年，他終於發現，不論逃到哪裡去，他始終逃不出心的牢籠。大徹大悟後，他回來自首，雖然被判無期徒刑，終身不得假釋，可是因為他的悔改認罪，身體儘管仍身陷囹圄之中，心靈卻得到完全的釋放。

這兩位主角形成強烈的對比，一位看似自由卻是被罪惡層層綑綁；一位看似不自由卻再也沒有能夠轄制他。

到底誰才是真正的囚犯呢？

「繫滿黃絲帶的老橡樹」一書雖然是以監獄為背景，但作者藉一個個受刑人的故事闡明罪與罰、得救與沉淪、生命與死亡的定義。

一位脾氣暴躁、個性偏激的年輕人，一次酒醉後與人發生爭執，憤怒之下縱火報復，沒想到一場大火奪走十六條生命，社會大嘩，人人皆曰該殺，受害人的家屬更是恨他入骨，唯獨一位受害人的姊姊寫信告訴他，他們一家都是基督徒，因著基督的大愛，願意饒恕他，只希望他能真心悔改，勇敢接受法律的制裁。

他不敢置信，什麼樣的愛可以勝過仇恨、超越死亡？這封信大大的改變了他的人生，他決志信主，並親自寫信向十六位被害人的家屬道歉，槍決後將全身可用的器官全部捐出，有十餘位病人受惠，其中尚有好幾位重病患者得以重獲新生。

類似這樣感人的故事，書中比比皆是。事實上作者想要告訴我們的是人在關進監牢之前，早已落入酒牢、煙毒牢、情慾牢、貪財牢……如果我們不能真正從心裡悔改認罪，那麼，即使身在牢外，心仍是被囚的，當你越陷越深時，很可能一念之差，毀了自己一生。

「繫滿黃絲帶的老橡樹」作者黃明鎮先生，是位從事監獄福音的牧師，藉著信仰的帶領教化受刑人，十多年來成果斐然，數不清的受刑人認識上帝，成為主的門徒，甚至出獄後也加入監獄福音的行列，以過來人的身分現身說法，領人歸主。

作者的文筆簡練，流暢可喜，且語多幽默，可讀性甚高，值得一看。

《推薦3》別人能，他們也能

馬英九

民國八十二年到八十五年我擔任法務部長時，經常看到基督教更生團契的黃明鎮總幹事馬不停蹄地帶著團契的志工，在全國四十多個監獄院所輔導、教化受刑人，成果豐碩，深獲受刑人歡迎。很多人甚至在出獄立足社會後，還成立「反毒先鋒」，以他們的親身經歷，現身說法，協助監獄圍牆內、外的朋友拒毒、戒毒。

黃總幹事是一位熱心助人的基督教牧師，我好幾次到監所視察時都遇到黃總幹事，他在我任內興建的台南監獄附設「明德戒治分監」——即戒毒村，與戒治人同住三個月，以愛心、耐心輔導受刑人，也感動他們知罪悔改，重新做人。

這次，黃總幹事將以前在報章發表的篇章集結成冊出版，書中每個案例都是更生人改過自新的真實故事，透過他的真情筆觸，每個故事背後的「法、理、情」，著實令人感動，對社會風氣有正面意義。我認為，犯錯並不可恥，最難得的是有面對錯誤、改過的勇氣，對於真心悔改的更生人，我們應接納他們，給予重新站起來的機會，並祝福他們；對於監所協助輔導的義工們，我們更應給予高度肯定與支持。

套一句黃牧師的話「人活著，多去關心別人，真有意義。」，每個人應該多關懷身旁的人、事、物。我很樂意推薦這本「繫滿黃絲帶的老橡樹」新書給大家，也希望藉由每一則更生人改變生命的歷程，讓受刑人對未來充滿希望，因為「別人能，他們也能」！

《推薦4》圍牆內的故事

張文亮

近代「監獄管理學之父」豪爾勒（John Howard）曾說過：「我相信，監獄是許多人靈性甦醒的起點。監獄設立的目的，是讓犯人明白自己是罪人，不只是法律上的罪，也是心裡被罪惡力量挾制的人，這種挾制，不是教育、心理與社會所能幫助的領域，但是我相信耶穌基督的救恩，能夠醫治最無藥可救的犯人。」豪爾勒的看法很正確，因為不只在世界各地許多監獄，都有犯人蒙受耶穌基督救恩的見證，在台灣，也有相同的回應，這個回應就是在這本書裡。

關懷犯人的心靈，在一般人看來是一件匪夷所思的事，甚至不少人認為這是不需要的事，犯人被關是罪有應得的。但是耶穌在地上三十三年的時間，祂最後傳福音的對象，就是釘在祂身邊的一個犯人，證明犯人的心靈在上帝眼中是深具價值的。接受救恩的犯人，是可以蒙受聖靈的作為，脫離罪惡的挾制，可以得著真正的重生，這是整個監獄福音的基石，這也是本書作者黃明鎮牧師持守的信念。

十多年前，當我再美國加州大學戴維斯分校唸書時，就認識黃明鎮牧師，那時他住在沙加緬度（加州州政府所在地），他除了在州政府任職，也負擔了一所華人教會的信徒牧養。我曾聽說他是柔道高手，畢業於警官學校，在美國專攻犯罪學，心想他一定是面帶殺氣的彪形大漢，與他見面，才知他溫文儒雅、和氣待人，尤其對於尚未認識救恩的人，深具福音的負擔。他的妻子，更是他深度的支持者。後來，他遵照上帝給他的負擔，舉家遷回台灣，擔任「監獄福音」的事奉，是非常不容易的決定。他在書中提到一些美國生活的點滴，我很容易感受到那分自在，他也提到在彰化成長、聽福音、信主的過程，很覺親近，我也是彰化人。

這本書可以很輕鬆的閱讀，也可以很深刻的思考。第一，是什麼樣的環境，容易引人犯罪？沒有人從小就知道，自己以後會被關在獄裡，犯罪前人有共通性的程序，酒、色、錢財的迷惑，看似吸引人，卻使人走向敗壞而不自覺。

第二，什麼樣的因素，使犯人接觸到福音？有人直接進去傳，或用書信的方式，實際上背後是帶著來自上帝的「愛與赦免」，使犯人真正能得到心靈的自由。書中有些例子，敘述死刑犯與重刑犯在相信福音後的改變，非常的動人。若不是上帝在他心裡首先動了善工，人是做不到的，真是「黑道路上無英雄，狗熊信主變英雄」，「黑道不是不歸路，信從耶穌變光明」。

第三，給人一個新的角度去看犯人。書中以不少篇幅探討死刑存在的必要與否？